DR. OETKER

MODE TORTEN

AFTER-EIGHT-TORTE, FANTASCHNITTEN,
BAILEYS-TORTE, PHILADELPHIA-TORTE ...

DR. OETKER

MODE TORTEN

AFTER-EIGHT-TORTE, FANTASCHNITTEN,
BAILEYS-TORTE, PHILADELPHIA-TORTE …

 CERES

Vorwort

Endlich ist sie da: Eine Zusammenstellung der Rezepte, die viele von Ihnen schon kennen und lieben, aber noch nie in Buchform in Händen gehalten haben. Backideen, die von Mund zu Mund und von Hand zu Hand bei jedem Kaffeeklatsch weitergegeben werden.

Wir zeigen Ihnen nicht nur, wie Sie einfaches Obst in raffinierte Torten verwandeln können oder wie Sie zur Superbackfee eines jeden Kindergeburtstags werden, sondern auch wie Sie mit einem kleinen Schuß Hochprozentigem oder einer ordentlichen Portion Sahne verführerische Torten und Kuchen zaubern können. Natürlich dürfen auch die Klassiker nicht fehlen, so wäre dieses Buch nicht vollständig ohne die Philadelphia-Torte – der Mutter aller Modetorten.

Zusammen mit den Mitgliedern des Dr. Oetker Back-Clubs haben wir sie für Sie gesammelt, moderne und peppige Rezepte, die sogar die Kids von heute begeistern. Und wundern Sie sich nicht, wenn sogar die Schwiegermutter verstohlen nach dem Rezept fragt.

Kapitelübersicht

Freche Früchtchen

Hits für Kids

Heißgeliebte Klassiker

Kapitelübersicht

Torten mit Schwips

Kuchen-Versuchungen

Sahnige Highlights

Freche Früchtchen

Hier warten Erdbeere, Banane, Kirsche & Co in raffinierten Verpackungen darauf, vernascht zu werden.

Erdbeer-Knuspertorte

Zubereitungszeit: 30 Min., ohne Kühlzeit

Insgesamt:
E: 63 g, F: 225 g, Kh: 294 g, kJ: 14926, kcal: 3563

Für den Tortenboden:
- **250 g weiße Kuvertüre**
- **100 g Cornflakes**
- **100 g abgezogene, gehobelte Mandeln**

Für den Belag:
- **750 g Erdbeeren**
- **250 ml (¼ l) Schlagsahne**
- **1 Pck. Sahnesteif**
- **1 Pck. Vanillin-Zucker**

1 Für den Tortenboden die Kuvertüre in einem kleinen Topf im Wasserbad bei schwacher Hitze zu geschmeidiger Masse verrühren.

2 Cornflakes und Mandeln unter die Kuvertüre rühren. Drei Viertel der Masse in eine Springform (Ø 26 cm, Boden mit Backpapier belegt) verteilen und andrücken. Die restliche Masse in 12 Häufchen auf Backpapier setzen, beides kühl stellen und fest werden lassen.

3 Für den Belag Erdbeeren (einige Erdbeeren zum Garnieren zurücklassen) putzen, waschen, trockentupfen und halbieren. Den Boden aus der Form lösen und das Backpapier abziehen. Die Erdbeeren auf dem Boden verteilen.

4 Sahne mit Sahnesteif und Vanillin-Zucker steif schlagen und auf den Erdbeeren verteilen. Die Torte mit den zurückgelassenen Erdbeeren und den Cornflakeshäufchen garnieren.

- **Tip:**
Anstelle der Erdbeeren Himbeeren oder Brombeeren verwenden.

Maracujatorte

Zubereitungszeit: 50 Min.
Backzeit: 20–30 Min.

Insgesamt:
E: 51 g, F: 218 g, Kh: 491 g,
kJ: 17839, kcal: 4262

Für den Biskuitteig:
- **2 Eier**
- **2–3 EL heißes Wasser**
- **100 g Zucker**
- **1 Pck. Vanillin-Zucker**
- **100 g Weizenmehl**
- **25 g Speisestärke**
- **1 gestr. TL Backpulver**
- **50 g zerlassene, abgekühlte Butter**

Zum Bestreichen:
- **2–3 EL Aprikosenkonfitüre**

Für die Füllung:
- **1 Dose Pfirsiche (Abtropfgewicht 470 g)**
- **2 Pck. Tortenguß, klar**
- **40 g Zucker**
- **500 ml (½ l) Maracuja- oder Multivitaminsaft**
- **500 ml (½ l) Schlagsahne**
- **2 Pck. Sahnesteif**
- **2 Pck. Vanillin-Zucker**

Für den Belag:
- **1 Pck. Aranca Aprikose-Maracuja-Geschmack**
- **100 ml Maracuja- oder Multivitaminsaft**
- **100 ml Pfirsichsaft**
- **150 g Joghurt**

1 Für den Biskuitteig Eier und Wasser mit Handrührgerät mit Rührbesen auf höchster Stufe in 1 Minute schaumig schlagen. Zucker mit Vanillin-Zucker mischen, in 1 Minute einstreuen, dann noch etwa 2 Minuten schlagen.

2 Mehl, Speisestärke und Backpulver mischen, die Hälfte davon auf die Eiercreme sieben und kurz auf niedrigster Stufe unterrühren. Den Rest des Mehlgemisches auf die gleiche Weise unterarbeiten. Butter vorsichtig unterziehen.

3 Den Teig in eine Springform (Ø 28 cm, Boden gefettet, mit Backpapier belegt) füllen. Die Form sofort auf dem Rost in den Backofen schieben.

Ober-/Unterhitze:
etwa 180 °C (vorgeheizt)
Heißluft: –
Gas: Stufe 3–4 (nicht vorgeheizt)
Backzeit: etwa 30 Min.

4 Den Boden aus der Form lö[sen] auf einen Kuchenrost stürze[n] das Backpapier abziehen und den Boden erkalten lassen. Boden auf eine Platte legen, mit Konfitüre be[streichen]. Einen Tortenring darum stellen.

5 Für die Füllung Pfirsiche au[f] einem Sieb abtropfen lassen. dabei den Saft auffangen und für [den] Belag 100 ml abmessen. Pfirsiche [in] Würfel schneiden.

6 Aus Tortenguß, Zucker und Saft nach Packungsaufschrif[t] einen Guß zubereiten. Pfirsichwü[rfel] unterheben, die Masse auf dem Tortenboden verteilen und erkalte[n] lassen.

7 Sahne mit Sahnesteif und Va[nillin-Zucker steif schlagen u[nd] auf die Pfirsichmasse streichen.

8 Für den Belag Aranca nach Packungsaufschrift – aber mit Maracuja- oder Multivitamin[saft, abgemessenem Pfirsichsaft u[nd] Joghurt anstelle von Wasser – zub[e]reiten, auf die Sahnemasse streiche[n]. Die Torte etwa 60 Minuten kalt stellen.

Sharon-Torte

Zubereitungszeit: 50 Min.,
ohne Kühlzeit
Backzeit: etwa 10 Min.

Insgesamt:
E: 109 g, F: 154 g, Kh: 281 g,
kJ: 12960, kcal: 3097

Für den Knetteig:

- **200 g Weizenmehl**
- **½ gestr. TL Backpulver**
- **30 g Zucker**
- **3 Tropfen Zitronen-Aroma**
- **1 Eigelb**
- **100 g Butter oder Margarine**

Für den Belag:

- **1 Pck. Gelatine gemahlen weiß**
- **4 EL kaltes Wasser**

500 g Magerquark
250 ml (¹/₄ l) Orangensaft
50 g Zucker
etwas Zitronensaft
200 ml Schlagsahne
4 Sharons
Minzeblättchen

1 Für den Knetteig Mehl und Backpulver mischen und in e Rührschüssel sieben. Zucker, ronen-Aroma, Eigelb und Butter er Margarine hinzufügen. Die taten mit Handrührgerät mit ethaken zunächst kurz auf nied-ster, dann auf höchster Stufe gut rcharbeiten.

2 Anschließend auf der bemehlten Arbeitsfläche zu einem glatten Teig verkneten, sollte er kleben, ihn eine Zeitlang kalt stellen. Den Teig auf einem gefetteten Springformboden (Ø 26 cm) ausrollen und mehrmals mit einer Gabel einstechen. Den Springformrand um den Boden legen. Die Form auf dem Rost in den Backofen schieben.

Ober-/Unterhitze:
etwa 200 °C (vorgeheizt)
Heißluft: etwa 180 °C
(nicht vorgeheizt)
Gas: Stufe 3–4 (vorgeheizt)
Backzeit: etwa 10 Min.

3 Den Boden sofort nach dem Backen lösen, aber erst nach dem Erkalten auf eine Tortenplatte legen. Einen Tortenring darum stellen.

4 Für den Belag Gelatine mit Wasser in einem kleinen Topf anrühren und 10 Minuten zum Quellen stehen lassen.

5 Quark mit Orangensaft, Zucker und etwas Zitronensaft verrühren. Gelatine unter Rühren erwärmen, bis sie gelöst ist, mit etwas Quarkmasse verrühren und unter die restliche Quarkmasse geben.

6 Sahne steif schlagen. Wenn die Quarkmasse anfängt zu gelieren, Sahne unterheben.

7 Zwei Sharons dünn schälen und in Würfel schneiden. Die Hälfte der Quarkmasse auf den Tortenboden streichen, die Sharonwürfel darauf verteilen, mit der restlichen Quarkmasse bedecken und glattstreichen. Die Torte etwa 3 Stunden kalt stellen.

8 Den Tortenring lösen und abnehmen. Die restlichen Sharons dünn schälen, in Scheiben schneiden, auf der Torte anrichten und mit Minzeblättchen garnieren.

Kirsch-Schoko-Kuchen

Zubereitungszeit: 35 Min.
Backzeit: 35–45 Min.

Insgesamt:
E: 84 g, F: 356 g, Kh: 444 g,
kJ: 23180, kcal: 5537

Für den Rührteig:
- ■ **200 g weiche Margarine oder Butter**
- ■ **175 g Zucker**
- ■ **1 Pck. Vanillin-Zucker**
- ■ **½ Fläschchen Rum-Aroma**
- ■ **1 Prise Salz**
- ■ **4 Eier**
- ■ **125 g Weizenmehl**
- ■ **1 gestr. TL Backpulver**
- ■ **100 g geriebene Blockschokolade**
- ■ **100 g abgezogene, gemahlene Mandeln**

Für den Belag:
- ■ **1 Glas Sauerkirschen (Abtropfgewicht 370 g)**

Zum Verzieren:
- ■ **gesiebter Puderzucker**
- ■ **200 ml Schlagsahne**
- ■ **1 Pck. Sahnesteif**
- ■ **etwas Zucker**
- ■ **50 g geraspelte Schokolade**

1 Für den Rührteig Margarine oder Butter mit Handrührgerät mit Rührbesen auf höchster Stufe geschmeidig rühren. Nach und nach Zucker, Vanillin-Zucker, Rum-Aroma und Salz unterrühren, so lange rühren, bis eine gebundene Masse entstanden ist. Eier nach und nach unterrühren (jedes Ei etwa $1/2$ Minute).

2 Mehl mit Backpulver mischen, sieben und portionsweise auf mittlerer Stufe unterrühren. Schokolade und Mandeln kurz unterrühren. Den Teig in eine Springform (Ø 26 cm, Boden gefettet) füllen und glattstreichen.

3 Für den Belag Sauerkirschen auf einem Sieb gut abtropfen lassen und auf dem Teig verteilen (etwa 1 cm am Rand frei lassen). Die Form auf dem Rost in den Backofen schieben.

Ober-/Unterhitze:
etwa 180 °C (vorgeheizt)
Heißluft: etwa 160 °C
(nicht vorgeheizt)
Gas: Stufe 2–3 (nicht vorgeheizt)
Backzeit: 35–45 Min.

4 Den Kuchen aus der Form lösen und auf einem Kuchenro erkalten lassen.

5 Den Kuchen vor dem Servier mit Puderzucker bestäuben. Sahne mit Sahnesteif und Zucker steif schlagen und den Kuchen dan verzieren. Mit Schokoladenraspeln bestreuen.

■ **Tip:**
Anstelle der Mandeln gemahlene Haselnußkerne verwenden.

Baiser-Bananen-Torte

Zubereitungszeit: 60 Min.
Backzeit: 60–65 Min.

Insgesamt:
E: 89 g, F: 272 g, Kh: 554 g,
kJ: 21818, kcal: 5213

Für den Biskuitteig:
- 1 Ei
- 2 EL heißes Wasser
- 50 g Zucker
- 1 Pck. Vanillin-Zucker
- 75 g Weizenmehl
- ½ gestr. TL Backpulver

Für den Knetteig:
- 125 g Weizenmehl
- 25 g Speisestärke
- 1 Msp. Backpulver
- 50 g Zucker
- 1 Pck. Vanillin-Zucker
- 1 Ei
- 75 g Butter oder Margarine
- 3 EL Aprikosenkonfitüre

Für den Belag:
- 2 Becher (à 150 g)
  Crème fraîche
- 125 ml (⅛ l) Milch
- 1 Ei, 50 g Zucker
- 1 Pck. Vanillin-Zucker
- 20 g Speisestärke
- 600 g Bananen
- 3 EL Zitronensaft
- 50 g abgezogene,
  gehobelte Mandeln

Für die Baisermasse:
- 1 Eiweiß
- 50 g Zucker

- 125 ml (⅛ l) Schlagsahne
- 50 g abgezogene, ge-
  hobelte, leicht gebräunte
  Mandeln

1 Für den Biskuitteig Ei und W
ser mit Handrührgerät mit
Rührbesen auf höchster Stufe in
1 Minute schaumig schlagen. Zuck
mit Vanillin-Zucker mischen, in
1 Minute einstreuen, dann noch e
2 Minuten schlagen.

2 Mehl mit Backpulver mischen, die Hälfte davon auf die Eierme sieben und kurz auf niedrigr Stufe unterrühren. Den Rest des hlgemisches auf die gleiche Weise terarbeiten.

3 Den Teig in eine Springform (Ø 26 cm, Boden gefettet, mit Backpapier belegt) füllen. Die Form sofort auf dem Rost in den Backofen schieben.

Ober-/Unterhitze:
etwa 180 °C (vorgeheizt)
Heißluft: –
Gas: Stufe 3–4 (vorgeheizt)
Backzeit: etwa 10 Min.

4 Den Boden aus der Form lösen, auf einen mit Backpapier belegten Kuchenrost stürzen, das Backpapier abziehen und den Boden erkalten lassen.

5 Für den Knetteig Mehl, Speisestärke und Backpulver mischen und in eine Rührschüssel sieben. Zucker, Vanillin-Zucker, Ei und Butter oder Margarine hinzufügen. Die Zutaten mit Handrührgerät mit Knethaken zunächst kurz auf niedrigster, dann auf höchster Stufe gut durcharbeiten.

6 Anschließend auf der bemehlten Arbeitsfläche zu einem glatten Teig verkneten. Die eine Hälfte des Teiges kalt stellen, die andere Hälfte auf einem gefetteten Springformboden (Ø 26 cm) ausrollen und mehrmals mit einer Gabel einstechen. Den Springformrand um den Boden legen. Die Form auf dem Rost in den Backofen schieben.

Ober-/Unterhitze:
etwa 180 °C (vorgeheizt)
Heißluft: etwa 160 °C
(nicht vorgeheizt)
Gas: etwa Stufe 3 (vorgeheizt)
Backzeit: etwa 15 Min.

7 Den Boden in der Form erkalten lassen.

(Fortsetzung Seite 18)

8 Den restlichen Teig zu einer Rolle formen, auf den vorgebackenen Boden legen und so an die Form andrücken, daß ein etwa 3 cm hoher Rand entsteht. Den Boden mit Konfitüre bestreichen und den Biskuitboden darauf legen (ihn evtl. etwas verkleinern).

9 Für den Belag Crème fraîche, Milch, Ei, Zucker, Vanillin-Zukker und Speisestärke in einem Kochtopf verrühren und unter ständigem Rühren kurz aufkochen lassen.

10 Bananen schälen, in dicke Scheiben schneiden, mit Zitronensaft vermengen und auf dem Biskuitboden verteilen. Mit der Creme bestreichen und mit Mandeln bestreuen. Die Torte noch etwa 20 Minuten backen (Herdeinstellung siehe oben).

11 Für die Baisermasse Eiweiß und Zucker steif schlagen, in einen Spritzbeutel mit Lochtülle füllen und die Torte damit verzieren. Die Form in den Backofen schieben.

Ober-/Unterhitze:
etwa 200 °C (vorgeheizt)
Heißluft: etwa 180 °C
(nicht vorgeheizt)
Gas: etwa Stufe 4 (nicht vorgeheizt)
Backzeit: 15–20 Min.

12 Den Springformrand lösen und das Gebäck auf einen Kuchenrost erkalten lassen.

13 Sahne steif schlagen, den Gebäckrand damit bestreichen, mit Mandeln bestreuen.

Ananas-Zucchini-Kuchen

Zubereitungszeit: 25 Min.
Backzeit: etwa 60 Min.

Insgesamt:
E: 96 g, F: 299 g, Kh: 703 g,
kJ: 25572, kcal: 6108

- **1 Dose Ananasscheiben (Abtropfgewicht 255 g)**
- **250 g Zucker**
- **1 Pck. Vanillin-Zucker**
- **3 Eier**
- **1 Prise Salz**
- **250 ml (¼ l) Speiseöl**
- **450 g Weizenmehl**
- **1 TL Backpulver**
- **1 TL Natron**
- **1½ TL gemahlener Zimt**
- **geriebene Muskatnuß**

- **250 g geraspelte Zucchini (mit Schale)**
- **125 g gehackte Walnußkerne**
- **100 g Rosinen**

1 Ananasscheiben zum Abtropfen auf ein Sieb geben und würfeln.

2 Zucker und Vanillin-Zucker mischen und mit den Eiern mit Handrührgerät mit Rührbesen schaumig schlagen. Salz und Öl hinzufügen und unterrühren.

3 Mehl, Backpulver, Natron, Zimt und Muskat mischen, sieben und portionsweise auf mittlerer Stufe unterrühren.

4 Ananasstücke und Zucchini unterrühren. Walnußkerne und Rosinen unter den Teig rühren. Den Teig in eine gefettete, bemehlte Springform mit Rohrboden (Ø 26 cm) füllen. Die Form auf dem Rost in den Backofen schieben.

Ober-/Unterhitze:
etwa 180 °C (vorgeheizt)
Heißluft: etwa 160 °C
(nicht vorgeheizt)
Gas: Stufe 2–3 (nicht vorgeheizt)
Backzeit: etwa 60 Min.

5 Den Kuchen 5 Minuten in der Form stehen lassen, dann aus der Form lösen, auf einen Kuchenrost stürzen und erkalten lassen.

Bananen-Kuppeltorte

*Zubereitungszeit: 50 Min.,
ohne Kühlzeit*
Backzeit: etwa 20 Min.

Insgesamt:
*E: 65 g, F: 212 g, Kh: 435 g,
kJ: 17147, kcal: 4099*

Für den Biskuitteig:
- **2 Eier**
- **50 g Zucker**
- **1 Pck. Vanillin-Zucker**
- **50 g Weizenmehl**
- **25 g Speisestärke**
- **½ gestr. TL Backpulver**
- **25 g zerlassene, abgekühlte Butter**

Für die Füllung:
- **3 Bananen**
- **Saft von ½ Zitrone**
- **50 g Halbbitterkuvertüre**

Für die Bananencreme:
- **1 Pck. Gelatine gemahlen, weiß**
- **2 EL kaltes Wasser**
- **1 Pck. Pudding-Pulver Vanille-Geschmack**
- **40–60 g Zucker**
- **400 ml Milch**
- **2 EL Bananenlikör**
- **400 ml Schlagsahne**

Zum Garnieren:
- **2 Bananen**
- **Saft von ½ Zitrone**
- **50 g Halbbitterkuvertüre**
- **Schokoladenraspel**

1 Für den Biskuitteig Eier mit Handrührgerät mit Rührbesen auf höchster Stufe in 1 Minute schaumig schlagen. Zucker mit Vanillin-Zucker mischen, in 1 Minute einstreuen, dann noch etwa 2 Minuten schlagen.

2 Mehl, Speisestärke und Backpulver mischen, auf die Eiercreme sieben und kurz auf niedrigster Stufe unterrühren. Butter unterrühren.

3 Den Teig in eine Springform (Ø 26 cm, Boden gefettet, mi[t] Backpapier belegt) füllen. Die For[m] sofort auf dem Rost in den Backof[en] schieben.

r-/Unterhitze:
°C (vorgeheizt)
ßluft: –
: Stufe 2–3 (nicht vorgeheizt)
kzeit: etwa 20 Min.

Den Boden aus der Form lösen, auf einen Kuchenrost stürzen, Backpapier abziehen und den den erkalten lassen.

5 Für die Füllung Bananen schälen, längs halbieren, mit Zitronensaft beträufeln, damit sie nicht braun werden. Die Bananenhälften in passende Stücke schneiden und auf dem Biskuitboden gleichmäßig verteilen. Kuvertüre in einem kleinen Topf im Wasserbad bei schwacher Hitze zu geschmeidiger Masse verrühren, Bananen damit bestreichen.

6 Für die Bananencreme Gelatine mit Wasser in einem kleinen Topf anrühren und 10 Minuten zum Quellen stehen lassen. Aus Pudding-Pulver, Zucker und Milch nach Packungsaufschrift einen Pudding zubereiten.

7 Die Gelatine hinzufügen und so lange rühren, bis sie gelöst ist. Bananenlikör unterrühren und den Pudding abkühlen lassen.

8 Sobald der Pudding anfängt zu gelieren, Sahne steif schlagen und unterheben. Die Creme kuppelartig auf den mit Bananen belegten Boden streichen.

9 Bananen schälen, längs halbieren, mit Zitronensaft bestreichen und auf die Tortenoberfläche legen. Die Kuvertüre in einem kleinen Topf im Wasserbad bei schwacher Hitze zu geschmeidiger Masse verrühren und die Torte spiralförmig damit verzieren. Mit Schokoladenraspeln bestreuen.

Obstpizza

*Zubereitungszeit: 35 Min.,
ohne Teiggehzeit
Backzeit: etwa 30 Min.*

*Insgesamt:
E: 91 g, F: 224 g, Kh: 923 g,
kJ: 26494, kcal: 6328*

Für den Hefeteig:
- **1 Würfel frische Hefe (42 g)**
- **50 g Zucker**
- **250 ml (¼ l) lauwarme Milch**
- **400 g Weizenmehl**
- **1 Pck. Vanillin-Zucker**
- **1 Prise Salz**
- **50 g weiche Butter**

Für den Belag:
- **375 g Pflaumen**
- **250 g helle Weintrauben**
- **250 g Birnen**
- **500 g Äpfel**
- **1 kleine Dose Aprikosen-hälften (Abtropfgewicht 240 g)**

Für die Streusel:
- **250 g Weizenmehl**
- **175 g Zucker**
- **1 Pck. Vanillin-Zucker**
- **200 g weiche Butter**

1 Für den Hefeteig Hefe zerbröckeln und mit 2 Teelöffeln des Zuckers und 100 ml der Milch verrühren, etwa 15 Minuten bei Zimmertemperatur stehen lassen.

2 Mehl in eine Rührschüssel sieben, restlichen Zucker, Vanillin-Zucker, Salz, restliche Milch und Butter hinzufügen. Die angerührte Hefe hinzugeben und die Zutaten mit Handrührgerät mit Knethaken zunächst auf niedrigster, dann auf höchster Stufe in etwa 5 Minuten zu einem Teig verarbeiten. Den Teig zugedeckt an einem warmen Ort so lange stehen lassen, bis er sich sichtbar vergrößert hat.

3 Für den Belag Pflaumen und Trauben waschen und abtrocknen. Pflaumen entsteinen und in Spalten schneiden, Trauben halbieren und entkernen. Birnen und Äpfel schälen, vierteln, entkernen und in Spalten schneiden. Aprikosen auf einem Sieb abtropfen lassen und in Spalten schneiden.

4 Den gegangenen Teig aus der Schüssel nehmen und auf der Arbeitsfläche nochmals kurz durchkneten, auf einem gefetteten Backblech ausrollen und das Obst nach Sorten getrennt darauf verteilen.

5 Für die Streusel Mehl in eine Rührschüssel sieben, mit Zucker und Vanillin-Zucker mischen. Butter hinzufügen. Zutaten mit Handrührgerät mit Knethaken zu Streuseln von gewünschter Größe verarbeiten und gleichmäßig auf dem Obst verteilen. Das Backblech in den Backofen schieben.

Ober-/Unterhitze:
etwa 200 °C (vorgeheizt)
Heißluft: etwa 180 °C
(nicht vorgeheizt)
Gas: Stufe 3–4 (nicht vorgeheizt)
Backzeit: etwa 30 Min.

6 Den Kuchen auf dem Blech erkalten lassen.

■ **Abwandlung:**
Anstelle eines Blechs zwei runde Obstpizzen in der Springform (Ø 26 cm) backen.

■ **Tip:**
Sie können nach Belieben auch anderes Obst der Saison oder aus der Dose verwenden.

Ananas-Mascarpone-Torte

Zubereitungszeit: 35 Min.
Backzeit: etwa 45 Min.

Insgesamt:
E: 74 g, F: 437 g, Kh: 547 g,
kJ: 27711, kcal: 6624

Für den Streuselteig:
- **350 g Weizenmehl**
- **1 gestr. TL Backpulver**
- **150 g Zucker**
- **2 Pck. Vanillin-Zucker**
- **1 Ei**
- **200 g Butter oder Margarine**

Für den Belag:
- **1 Dose Ananasraspel (Abtropfgewicht 260 g)**

Für die Mascarponecreme:
- **250 g Mascarpone**
- **150 g Magerjoghurt**
- **4 EL Zitronensaft**
- **500 ml (½ l) Schlagsahne**
- **2 Pck. Sahnesteif**
- **50 g Zucker**
- **3 EL gehackte Zitronen- melisseblättchen**

Zum Garnieren:
- **Ananasstückchen**
- **Zitronenmelisseblättchen**

1 Für den Streuselteig Mehl in eine Rührschüssel sieben, mit Zucker und Vanillin-Zucker mischen und Ei und Butter oder Margarine hinzufügen. Alle Zutaten mit Handrührgerät mit Knethaken zu feinen Streuseln verarbeiten.

2 Aus dem Teig 3 Böden backen. Dazu jeweils ¹/₃ der Streusel auf einem gefetteten Springformboden (Ø 26 cm) verteilen und zu einem Boden leicht andrücken (darauf achten, daß der Boden am Rand nicht zu dünn ist).

3 Für den Belag Ananasraspel auf einem Sieb gut abtropfen lassen. Jeweils ¹/₃ der Ananasraspel auf jedem Boden verteilen. Die Böden ohne Springformrand auf dem Rost in den Backofen schieben.

Ober-/Unterhitze:
etwa 200 °C (vorgeheizt)
Heißluft: etwa 180 °C
(nicht vorgeheizt)
Gas: etwa Stufe 4 (vorgeheizt)
Backzeit: etwa 15 Min. pro Boden.

4 Die Böden nach dem Backen mit Hilfe eines Messers lösen, aber auf dem Springformboden erkalten lassen. Einen der Böden in 12 Stücke schneiden.

5 Für die Mascarponecreme Mascarpone, Joghurt und Zitronensaft zu einer einheitlichen Masse verrühren. Sahne mit Sahnesteif und Zucker steif schlagen und mit den gehackten Zitronenmelisse blättchen unter die Creme heben.

6 Jeweils die Hälfte der Mascarponecreme auf die nicht geschnittenen Böden streichen und di Böden zusammensetzen. Den geschnittenen Boden darauflegen, etwas andrücken und mit Ananasstückchen und Zitronenmelisseblättchen garnieren.

■ Tip:
Anstelle von Mascarpone können Si auch Magerquark verwenden.

Waffeltorte

Zubereitungszeit: 30 Min.
Backzeit: etwa 24 Min.

Insgesamt:
E: 47 g, F: 310 g, Kh: 377 g,
kJ: 19402, kcal: 4637

Für den Rührteig:
- **125 g weiche Margarine oder Butter**
- **100 g Zucker**
- **1 Prise Salz**
- **2 Eier**
- **1 Beutel Feine Orangenfrucht**
- **100 g Weizenmehl**
- **50 g Speisestärke**
- **1 Msp. Backpulver**
- **1 EL Kakaopulver**

Für die Füllung:
- **600 ml Schlagsahne**
- **2 Pck. Sahnesteif**
- **3 EL Zucker**
- **1 Pck. Vanillin-Zucker**
- **600 g gelbe Pflaumen**

Zum Garnieren:
- **1 EL gemahlene Pistazienkerne**

1 Für den Rührteig Margarine oder Butter mit Handrührgerät mit Rührbesen auf höchster Stufe geschmeidig rühren. Nach und nach Zucker und Salz unterrühren, so lange rühren, bis eine gebundene Masse entstanden ist. Eier nach und nach unterrühren (jedes Ei etwa $1/2$ Minute). Feine Orangenfrucht unterrühren.

2 Mehl mit Speisestärke und Backpulver mischen, sieben und portionsweise auf mittlerer Stufe unterrühren. Die Teigmasse halbieren und unter die eine Hälfte den Kakao rühren.

3 Im gefetteten Waffeleisen aus beiden Teigsorten in je etwa 4 Minuten jeweils 3 Waffeln backen und auf einem Kuchenrost erkalten lassen.

4 Für die Füllung Sahne mit S[a]nesteif, Zucker und Vanillin-Zucker steif schlagen. Die Pflaume[n] waschen, trockentupfen, entsteine[n] und in Spalten schneiden. Einige Pflaumenspalten zum Garnieren z[u]rückbehalten.

5 Eine dunkle Waffel mit etwa[s] Sahne bestreichen, einige Pfl[au]menspalten darauf verteilen und e[ine] helle Waffel darauf legen. Diese ebenfalls mit Sahne bestreichen un[d] mit Pflaumenspalten belegen. So fortfahren, bis sämtliche Waffeln a[uf]gebraucht sind.

6 Die Torte mit der restlichen Sahne verzieren, mit den zurückgelassenen Pflaumenspalten u[nd] Pistazien garnieren.

■ **Abwandlung:**
Schoko-Waffeltorte
Den gesamten Teig mit 2 Eßlöffeln Kakaopulver zubereiten und mit Orangenlikör-Sahne (600 ml Schlagsahne und 3 Eßlöffel Orangenlikör) füllen. Nach Belieben Orangenfilets mit einschichten.

■ **Tip:**
Anstelle der gelben Pflaumen könne[n] Sie auch anderes Obst der Saison verwenden.

Hits für Kids

Mit diesen Torten und Kuchen für Ihre lieben Kleinen – oder auch schon etwas Größeren – werden Sie sich vor Komplimenten wie „echt super" und „wirklich stark" nicht mehr retten können.

Popcorn-Zitronenquark-Torte

Zubereitungszeit: 25 Min., ohne Kühlzeit

Insgesamt:
E: 108 g, F: 165 g, Kh: 236 g, kJ: 12487, kcal: 2984

Für den Boden:
- ■ **150 g Zartbitterschokolade**
- ■ **75 g Popcorn**

Für den Belag:
- ■ **8 Blatt weiße Gelatine**
- ■ **500 g Magerquark**
- ■ **150 g Magerjoghurt**
- ■ **50 g Zucker**
- ■ **Saft von 2 Zitronen**
- ■ **etwas abgeriebene Zitronenschale (unbehandelt)**
- ■ **200 ml Schlagsahne**

Zum Verzieren:
- ■ **100 ml Schlagsahne**
- ■ **50 g Zartbitterschokolade**

1 Für den Boden Schokolade grob zerkleinern, in einem kleinen Topf im Wasserbad bei schwacher Hitze zu geschmeidiger Masse verrühren. 12 Stück Popcorn zurücklassen, den Rest grob hacken und unter die Schokolade rühren. Boden und Rand einer Springform (Ø 26 cm) mit Backpapier auslegen, die Masse einfüllen, festdrücken und fest werden lassen.

2 Für den Belag Gelatine in wenig kaltem Wasser einweichen. Quark, Joghurt, Zucker, Zitronensaft und -schale zu einer einheitlichen Masse verrühren. Gelatine gründli ausdrücken, auflösen und unter di Quark-Joghurt-Masse rühren.

3 Wenn die Masse anfängt zu gelieren, Sahne steif schlagen und unterrühren. Die Quarkmasse auf den Boden geben, glattstreiche und etwa 60 Minuten kühl stellen.

4 Torte aus der Form lösen, Bac papier entfernen. Sahne steif schlagen, mit einem Spritzbeutel Sahnetuffs auf die Torte spritzen.

5 Schokolade wie oben auflöse zurückgelassenes Popcorn ha hineintauchen, fest werden lassen, auf die Sahnetuffs setzen. Torte mi der restlichen Schokolade verzieren

Panama-Spezial

Zubereitungszeit: 60 Min.
Backzeit: 40–45 Min.

Insgesamt:
E: 166 g, F: 294 g, Kh: 688 g,
kJ: 26364, kcal: 6288

Für den Knetteig:
- **125 g Weizenmehl**
- **1 Msp. Backpulver**
- **50 g Zucker**
- **1 kleines Ei**
- **75 g Butter**

Für den Biskuitteig:
- **3 Eier, 90 g Zucker**
- **1 Pck. Vanillin-Zucker**
- **90 g Weizenmehl**
- **1 gestr. TL Backpulver**

Für Füllung I:
- **1 Pck. Tortenguß, rot**
- **1 EL Zucker**
- **200 ml Apfelsaft**
- **300 g TK-Beerenfrüchte**

Für Füllung II:
- **1 Dose Ananasscheiben (Abtropfgewicht 225 g)**
- **1 Pck. Dr. Oetker Quark-Sahne-Tortenhilfe**
- **500 g Magerquark**
- **Saft von 1 Zitrone**
- **450 ml Schlagsahne**

- **150 ml Schlagsahne**
- **1 Pck. Sahnesteif**

- **1 TL Zucker**
- **Kiwischeiben**
- **Orangenscheiben**
- **25 g abgezogene, gehackte Mandeln**

1 Für den Knetteig Mehl und Backpulver mischen, in eine Rührschüssel sieben. Zucker, Ei und Butter hinzufügen. Zutaten mit Handrührgerät mit Knethaken zunächst kurz auf niedrigster, dann auf höchster Stufe gut durcharbeiten.

2 Anschließend auf der bemehlten Arbeitsfläche zu einem glatten Teig verkneten, sollte er kleben, ihn eine Zeitlang kalt stellen. Den Teig auf einem gefetteten Springformboden (Ø 26 cm) ausrollen und mehrmals mit einer Gabel einstechen. Den Springformrand um den Boden legen. Die Form auf dem Rost in den Backofen schieben.

Ober-/Unterhitze:
200–220 °C (vorgeheizt)
Heißluft: etwa 180 °C
(nicht vorgeheizt)
Gas: Stufe 3–4 (vorgeheizt)
Backzeit: etwa 15 Min.

3 Gebackenen Boden sofort vom Springformboden lösen, aber erst nach Erkalten auf eine Tortenplatte legen. Einen Tortenring darumstellen.

4 Für den Biskuitteig Eier mit Handrührgerät mit Rührbesen auf höchster Stufe in 1 Minut schaumig schlagen. Zucker mit Va nillin-Zucker mischen, in 1 Minu einstreuen, dann noch etwa 2 Min ten schlagen.

5 Mehl mit Backpulver mische auf die Eiercreme sieben, ku auf niedrigster Stufe unterrühren. Teig in eine Springform (Ø 28 cm Boden gefettet, mit Backpapier belegt) füllen. Die Form sofort au dem Rost in den Backofen schiebe

Ober-/Unterhitze:
etwa 180 °C (vorgeheizt)
Heißluft: –
Gas: Stufe 2–3 (nicht vorgeheizt)
Backzeit: 25–30 Min.

6 Den Boden aus der Form lös auf einen Kuchenrost stürzer das Backpapier abziehen und den Boden erkalten lassen. Ihn einmal waagerecht durchschneiden.

7 Für Füllung I Tortenguß mit Zucker und Apfelsaft nach Pa kungsaufschrift zubereiten. Beeren unterrühren (einige Früchte zum Garnieren zurücklassen). Die Mas auf dem Knetteigboden verteilen, mit dem unteren Biskuitboden bedecken und kalt stellen.

(Fortsetzung Seite

8 Für Füllung II Ananasscheiben auf einem Sieb abtropfen lassen, dabei den Saft auffangen und 250 ml (¹/₄ l) abmessen (evtl. mit Wasser auffüllen). Tortenhilfe nach Packungsaufschrift mit Quark, Ananas- und Zitronensaft (anstelle von Wasser) und Sahne zubereiten.

9 Die Hälfte der Quarkmasse auf den Biskuitboden geben. Ananasscheiben in kleine Stücke schneiden (3 Scheiben zurücklassen), auf der Quarkmasse verteilen, mit dem oberen Biskuitboden bedecken. Boden mit restlicher Quarkmasse bestreichen und 3 Stunden kalt stellen.

10 Sahne mit Sahnesteif u[nd] Zucker steif schlagen. D[en] Tortenrand damit bestreichen. To[rte] mit Kiwi- und Orangenscheiben, Mandeln und zurückgelassenen, i[n] Stücke geschnittenen Ananassche[i]ben und restlichen Beeren garnier[en].

Holzfäller-Schnitten

Zubereitungszeit: 20 Min., ohne Teiggehzeit
Backzeit: etwa 50 Min.

Insgesamt:
E: 215 g, F: 193 g, Kh: 638 g, kJ: 22680, kcal: 5414

Für den Hefeteig:
- **375 g Weizenmehl**
- **1 Pck. Trockenhefe**
- **100 g Zucker**
- **1 Prise Salz**
- **200 ml lauwarme Milch**
- **100 g zerlassene, abgekühlte Butter**

Für den Belag:
- **1 Pck. Pudding-Pulver Vanille-Geschmack**
- **100 g Zucker**
- **500 ml (¹/₂ l) Milch**
- **4 Eigelb**
- **750 g Magerquark**
- **50 g Speisestärke**
- **4 Eiweiß**
- **100 g abgezogene, gestiftelte Mandeln**

- **2 EL gesiebter Puderzucker**

1 Für den Hefeteig Mehl in eine Rührschüssel sieben und mit Hefe sorgfältig vermischen. Zucker, Salz, Milch und Butter hinzufügen.

2 Zutaten mit Handrührgerät mit Knethaken zunächst auf niedrigster, dann auf höchster Stufe in etwa 5 Minuten zu einem Teig verarbeiten.

3 Den Teig zugedeckt an einem warmen Ort so lange stehen lassen, bis er sich sichtbar vergrößert hat, ihn auf der Arbeitsfläche nochmals kurz durchkneten, in einer gefetteten Fettfangschale ausrollen.

4 Für den Belag aus Pudding-Pulver, Zucker und Milch na[ch] Packungsaufschrift einen Puddin[g] zubereiten und etwas abkühlen la[s]sen. Eigelb, Quark und Speisestär[ke] unterrühren.

5 Eiweiß steif schlagen und vo[r]sichtig unterheben. Die Mas[se] auf den Teig streichen und mit M[an]deln bestreuen. Die Fettfangschal[e in] den Backofen schieben.

Ober-/Unterhitze:
etwa 170 °C (vorgeheizt)
Heißluft: etwa 150 °C
(nicht vorgeheizt)
Gas: Stufe 2–3 (nicht vorgeheizt[)]
Backzeit: etwa 50 Min.

6 Den Kuchen etwas abkühle[n] lassen und mit Puderzucker bestäuben.

Mini-Dickmanns-Torte

Zubereitungszeit: 50 Min.
Backzeit: 40–50 Min.

Insgesamt:
E: 80 g, F: 322 g, Kh: 505 g,
kJ: 22783, kcal: 5425

Für den Rührteig:
- **4 Eigelb**
- **150 g Zucker**
- **1 Pck. Vanillin-Zucker**
- **½ Fläschchen Butter-Vanille-Aroma**
- **100 ml lauwarmes Wasser**
- **150 ml Speiseöl**
- **300 g Weizenmehl**
- **4 gestr. TL Backpulver**
- **4 Eiweiß**
- **1 geh. EL Kakaopulver**

Für die Füllung:
- **400 ml Schlagsahne**
- **2 Pck. Sahnesteif**
- **einige Mini-Dickmanns**

Zum Bestreichen:
- **1 geh. EL Aprikosen-konfitüre**
- **knapp 1 EL Wasser**

1 Für den Rührteig Eigelb, Zucker und Vanillin-Zucker mit Handrührgerät mit Rührbesen auf höchster Stufe schaumig rühren. Butter-Vanille-Aroma, Wasser und Öl unterrühren.

2 Mehl mit Backpulver mischen, sieben und portionsweise auf mittlerer Stufe unterrühren. Eiweiß steif schlagen und unterziehen.

3 Die Hälfte des Teiges in eine Springform (Ø 26 oder 28 cm, Boden gefettet, mit Semmelbröseln bestreut) füllen und glattstreichen. Kakao unter den restlichen Teig rühren, in einen Spritzbeutel füllen und in Wellenform auf den hellen Teig spritzen. Die Form auf dem Rost in den Backofen schieben.

Ober-/Unterhitze:
etwa 180 °C (vorgeheizt)
Heißluft:
etwa 160 °C (nicht vorgeheizt)
Gas: Stufe 3–4
(nicht vorgeheizt)
Backzeit: 40–50 Min.

4 Den Boden aus der Form lö und auf einem Kuchenrost kalten lassen. Den Boden einmal waagerecht durchschneiden. Aus dem oberen Boden einige Kreise (in der Größe der Mini-Dickmar ausstechen, das ausgestochene Ge bäck zerbröseln.

5 Für die Füllung Sahne mit S nesteif steif schlagen, die Ge bäckbrösel (2 Eßlöffel zum Verzie zurücklassen) unterheben und d Masse auf den unteren Boden str chen. Den oberen Boden darauf legen.

6 Aprikosenkonfitüre und Wa verrühren, unter Rühren au chen lassen und die Torte damit b streichen. Die Mini-Dickmanns i die Kreise setzen und die Torte m den zurückgelassenen Gebäckbrö bestreuen.

Schokokusstorte mit Mandarinen

Zubereitungszeit: 45 Min.,
ohne Kühlzeit
Backzeit: 25–30 Min.

Insgesamt:
E: 104 g, F: 263 g, Kh: 646 g,
kJ: 23410, kcal: 5556

Für den Biskuitteig:
- **4 Eier**
- **4 EL heißes Wasser**
- **175 g Zucker**
- **1 Pck. Vanillin-Zucker**
- **150 g Weizenmehl**
- **50 g Speisestärke**
- **2 TL Backpulver**

Für die Füllung:
- **2 Dosen Mandarinen**
  (à 175 g Abtropfgewicht)
- **12 Schokoküsse**
- **250 g Sahnequark**
- **1 TL Zitronensaft**
- **25 g Zucker**
- **150 g saure Sahne**
- **500 ml (¹/₂ l) Schlagsahne**
- **3 Pck. Sahnesteif**

- **Zitronenmelisseblättchen**

Tip:
Anstelle der Mandarinen Sauerkirschen oder Bananen verwenden oder
die Torte ohne Früchte zubereiten.

1 Für den Biskuitteig Eier und Wasser mit Handrührgerät mit Rührbesen auf höchster Stufe in 1 Minute schaumig schlagen.

2 Zucker mit Vanillin-Zucker mischen, in 1 Minute ein-streuen, dann noch etwa 2 Minuten schlagen.

3 Mehl, Speisestärke und Back-pulver mischen, die Hälfte da-von auf die Eiercreme sieben und kurz auf niedrigster Stufe unterrüh-ren. Den Rest des Mehlgemisches auf die gleiche Weise unterarbeiten.

4 Den Teig in eine Springform (Ø 28 cm, Boden gefettet, mit Backpapier belegt) füllen. Die Form sofort auf dem Rost in den Backofen schieben.

Ober-/Unterhitze:
etwa 180 °C (vorgeheizt)
Heißluft: –
Gas: Stufe 2–3 (nicht vorgeheizt)
Backzeit: 25–30 Min.

5 Den Tortenboden aus der Form lösen, auf einen Kuchenrost stürzen, das Backpapier abziehen und den Boden erkalten lassen. Ihn einmal waagerecht durchschneiden.

6 Für die Füllung Mandarinen auf einem Sieb gut abtropfe lassen. 18 Mandarinenspalten zur Garnieren zurücklassen, die restli chen auf dem unteren Boden ver-teilen.

7 Die Waffeln der Schokoküss vorsichtig abtrennen und zum Garnieren beiseite legen. Die Schaummasse mit Quark, Zitrone saft, Zucker und saurer Sahne mit Handrührgerät mit Rührbesen ve rühren. Sahne mit Sahnesteif steif schlagen und portionsweise unter Quarkmasse heben.

8 Zwei Drittel der Masse gleich mäßig auf die Mandarinen streichen und den oberen Boden rauflegen. Mit der restlichen Mass Tortenoberfläche und -rand bestre chen. Die Torte etwa 1 Stunde küh stellen.

9 Die Torte mit geviertelten Sc kokußwaffeln, Mandarinen-spalten und Zitronenmelisseblätt-chen garnieren.

Schokokusstorte

Zubereitungszeit: 50 Min.,
ohne Kühlzeit
Backzeit: etwa 20 Min.

Insgesamt:
E: 104 g, F: 457 g, Kh: 824 g,
kJ: 33855, kcal: 8039

Für den Rührteig:
- **150 g weiche Butter oder Margarine**
- **150 g Zucker**
- **1 Pck. Vanillin-Zucker**
- **3 Eier**
- **150 g Weizenmehl**
- **1 gestr. TL Backpulver**

Für den Belag:
- **300 g TK-Himbeeren**
- **5 Blatt weiße Gelatine**
- **200 g Zucker**
- **2 Pck. Vanillin-Zucker**
- **abgeriebene Schale und Saft von 1 Zitrone (unbehandelt)**
- **600 ml Schlagsahne**
- **100 g Butterkekse**
- **100 g gehobelte Haselnußkerne**

- **etwa 30 Schokoküsse**
- **etwa 30 Weingummis in Tier- und Obstform**

1 Für den Rührteig Butter oder Margarine mit Handrührgerät mit Rührbesen auf höchster Stufe geschmeidig rühren. Nach und nach Zucker und Vanillin-Zucker unterrühren, so lange rühren, bis eine gebundene Masse entstanden ist. Eier nach und nach unterrühren (jedes Ei etwa 1/2 Minute).

2 Mehl mit Backpulver mischen, sieben und portionsweise auf mittlerer Stufe unterrühren. Den Teig in eine gefettete, gemehlte Obstbodenform (Ø 28 cm) füllen. Die Form auf dem Rost in den Backofen schieben.

Ober-/Unterhitze:
etwa 180 °C (vorgeheizt)
Heißluft: etwa 160 °C
(nicht vorgeheizt)
Gas: Stufe 2–3 (nicht vorgeheizt)
Backzeit: etwa 20 Min.

3 Den Tortenboden sofort auf einen Kuchenrost stürzen und erkalten lassen.

4 Für den Belag Himbeeren auftauen lassen. Gelatine in wenig kaltem Wasser einweichen.

5 Himbeeren pürieren und mit Zucker, Vanillin-Zucker, Zitronenschale und -saft verrühren. Gela-

tine gründlich ausdrücken, auflöse[n] nach und nach mit dem Schneebe[sen] unter das Himbeerpüree rühren. I[m] Kühlschrank leicht gelieren lassen.

6 Ein Drittel der Sahne steif schlagen. Butterkekse zerbröseln und mit den Haselnußblättch[en] unter die Sahne heben. Das Gemis[ch] unter das gelierende Himbeerpüre[e] ziehen. Die Masse in eine kalt ausg[e]spülte Form oder Schüssel (Ø etwa[s] kleiner als der Tortenboden) geben und etwa 5 Stunden in den Kühlschrank stellen.

7 Die Masse vorsichtig vom Ra[nd] der Form (Schüssel) lösen, da[s] Gefäß ganz kurz in heißes Wasser tauchen und die Masse auf den To[r]tenboden stürzen.

8 Die Schokoküsse vorsichtig rundherum in die Creme setzen. Restliche Sahne steif schlagen, [in] einen Spritzbeutel mit Sterntülle fü[l]len und dicke Sahnetuffs zwischen die Schokoküsse spritzen. Die Tort[e] nach Belieben mit dem Weingum[mi] garnieren.

■ Tip:
Schneller geht's, wenn Sie einen fer[tig] gekauften Biskuitboden für Obsttort[e] verwenden.

Milky-Way-Torte

Zubereitungszeit: 60 Min. ,
ohne Kühlzeit
Backzeit: etwa 30 Min.

Insgesamt:
E: 87 g, F: 266 g, Kh: 653 g,
kJ: 23144, kcal: 5523

Für die Milky-Way-Creme:
- **500 ml (¹/₂ l) Schlagsahne**
- **8 Riegel Milky Way**
- **100 g Zartbitterschokolade**
- **2 Pck. Sahnesteif**

Für den Biskuitteig:
- **2 Eier**
- **2 EL heißes Wasser**
- **100 g Zucker**
- **1 Pck. Vanillin-Zucker**
- **75 g Weizenmehl**
- **50 g Speisestärke**
- **1 gestr. TL Backpulver**

Für den Belag:
- **1 Dose Pfirsiche**
  (Abtropfgewicht 470 g)
- **3–4 EL Nuß-Nougat-Creme**
- **1 Pck. Tortenguß, klar**
- **250 ml (¹/₄ l) Pfirsichsaft**

Für die Joghurtcreme:
- **1 Pck. Gelatine gemahlen,**
  weiß
- **4 EL kaltes Wasser**
- **300 g Joghurt**
- **Saft von ¹/₂ Zitrone**
- **Kakaopulver**

1 Für die Milky-Way-Creme Sahne mit den Milky Ways erwärmen, bis diese geschmolzen sind. Schokolade grob zerkleinern, dazugeben und ebenfalls auflösen. Die Masse in eine Rührschüssel füllen und über Nacht kalt stellen.

2 Für den Biskuitteig Eier und Wasser mit Handrührgerät mit Rührbesen auf höchster Stufe in 1 Minute schaumig schlagen. Zucker mit Vanillin-Zucker mischen, in 1 Minute einstreuen, dann noch etwa 2 Minuten schlagen.

3 Mehl, Speisestärke und Backpulver mischen, die Hälfte davon auf die Eiercreme sieben und kurz auf niedrigster Stufe unterrühren. Den Rest des Mehlgemisches auf die gleiche Weise unterarbeiten.

4 Den Teig in eine Springform (Ø 28 cm, Boden gefettet, mit Backpapier belegt) füllen. Die Form sofort auf dem Rost in den Backofen schieben.

Ober-/Unterhitze:
etwa 180 °C (vorgeheizt)
Heißluft: –
Gas: Stufe 3–4 (nicht vorgeheizt)
Backzeit: 20–30 Min.

5 Den Tortenboden aus der Form lösen, auf einen Kuchenrost

stürzen, das Backpapier abziehen und den Boden erkalten lassen.

6 Für den Belag Pfirsiche auf einem Sieb gut abtropfen lassen, den Saft auffangen und 250 ml (¹/₄ l) abmessen. Nuß-Nougat-Creme im Wasserbad auflösen, Tortenboden damit bestreichen. 2 Pfirsiche zurücklassen, die restlichen in Spalten schneiden, auf dem Boden verteilen.

7 Aus Tortenguß, Zucker und Pfirsichsaft nach Packungsaufschrift einen Guß bereiten und auf den Pfirsichen verteilen.

8 Für die Joghurtcreme Gelatine mit Wasser anrühren, 10 Minuten quellen lassen. Joghurt mit Zitronensaft verrühren. Die zurückgelassenen Pfirsichhälften pürieren und unter den Joghurt rühren.

9 Gelatine unter Rühren erwärmen, bis sie gelöst ist, unter die Joghurtmasse rühren. Die Masse auf die Pfirsiche streichen und die Torte kalt stellen.

10 Die Milky-Way-Creme mit Sahnesteif steif schlagen, auf die Joghurtmasse geben, glattstreichen und mit einer Gabel leicht Vertiefungen eindrücken. Die Torte mit Kakao bestreuen und nochmals 3 Stunden kalt stellen.

Fantaschnitten mit Pfirsichschmand

* Rezept nicht durch Coca-Cola autorisie

Zubereitungszeit: 35 Min.
Backzeit: etwa 25 Min.

Insgesamt:
E: 89 g, F: 443 g, Kh: 720 g,
kJ: 31248, kcal: 7468

Für den Teig:
- **4 Eier**
- **250 g Zucker**
- **1 Pck. Vanillin-Zucker**
- **125 ml (¹/₈ l) Speiseöl**
- **150 ml Fanta**
- **250 g Weizenmehl**
- **3 gestr. TL Backpulver**

Für den Belag:
- **2 Dosen Pfirsiche (à 470 g Abtropfgewicht)**
- **600 ml Schlagsahne**
- **3 Pck. Sahnesteif**
- **5 Pck. Vanillin-Zucker**
- **500 g Schmand**

- **Zimtzucker**

1 Für den Teig Eier, Zucker und Vanillin-Zucker mit Handrühr-gerät mit Rührbesen auf höchster Stufe schaumig schlagen. Öl und Fanta unterrühren.

2 Mehl und Backpulver mischen, sieben und portionsweise auf mittlerer Stufe unterrühren. Den Teig auf ein gefettetes Backblech streichen. Das Backblech in den Backofen schieben.

Ober-/Unterhitze:
etwa 180 °C (vorgeheizt)
Heißluft: etwa 160 °C
(nicht vorgeheizt)
Gas: Stufe 2–3 (vorgeheizt)
Backzeit: etwa 25 Min.

3 Den Kuchen auf dem Back-blech erkalten lassen.

4 Für den Belag Pfirsiche auf einem Sieb abtropfen lassen und in kleine Stücke schneiden. S ne mit Sahnesteif und 3 Päckche Vanillin-Zucker steif schlagen.

5 Schmand mit dem restliche Vanillin-Zucker verrühren. Pfirsichstücke unter den Schman rühren und Sahne locker unterhe ben. Die Masse gleichmäßig auf c Kuchen streichen und mit Zimt-zucker bestreuen.

- **Tips:**
Anstelle der Pfirsiche 2 Dosen Man
darinen (à 175 g Abtropfgewicht) v
wenden.
Der Schmand kann auch durch Crè
fraîche ersetzt werden.

Zebrakuchen

Zubereitungszeit: 25 Min.
Backzeit: 50–60 Min.

Insgesamt:
E: 82 g, F: 288 g, Kh: 688 g,
kJ: 24460, kcal: 5842

Für den Teig:
- ■ **5 Eigelb**
- ■ **250 g Zucker**
- ■ **1 Pck. Vanillin-Zucker**
- ■ **¹/₂ Fläschchen Butter-Vanille-Aroma**
- ■ **125 ml (¹/₈ l) lauwarmes Wasser**
- ■ **250 ml (¹/₄ l) Speiseöl**
- ■ **375 g Weizenmehl**
- ■ **1 Pck. Backpulver**
- ■ **5 Eiweiß**
- ■ **2 EL Kakaopulver**

Für den Guß:
- ■ **150 g gesiebter Puderzucker**
- ■ **2 EL Zitronensaft**
- ■ **3–4 EL Wasser**

1 Für den Teig Eigelb, Zucker und Vanillin-Zucker mit Handrührgerät mit Rührbesen auf höchster Stufe schaumig rühren. Butter-Vanille-Aroma, Wasser und Öl unterrühren.

2 Mehl und Backpulver mischen, sieben und portionsweise unterrühren. Eiweiß steif schlagen und vorsichtig unterziehen. Unter die Hälfte des Teiges den Kakao rühren.

3 Zunächst 2 Eßlöffel des hellen Teiges in die Mitte einer Springform (Ø 26 cm, Boden gefettet, mit Semmelbröseln bestreut) geben (nicht verteilen!). Auf den hellen Teig 2 Eßlöffel von dem dunklen Teig geben (nicht daneben).

4 Den Vorgang wiederholen, bis der Teig aufgebraucht ist. Den Teig nicht glattstreichen. Die Form auf dem Rost in den Backofen schieben.

■ **Abwandlung:**
Für einen Giraffenkuchen abwechselnd jeweils 1 Eßlöffel hellen und 1 Eßlöffel dunklen Teig im Schachbrettmuster (die zweite Lage in den Farben versetzt) in die Springform füllen. Den Guß noch feucht mit aufgelöster Schokolade betupfen.

Ober-/Unterhitze:
etwa 180 °C (vorgeheizt)
Heißluft: etwa 160 °C
(nicht vorgeheizt)
Gas: Stufe 2–3 (nicht vorgeheizt)
Backzeit: 50–60 Min.

5 Den Boden aus der Form lö[sen] und auf einem Kuchenrost erkalten lassen.

6 Für den Guß Puderzucker, Zitronensaft und so viel Wa[sser] verrühren, daß ein dünnflüssiger Guß entsteht. Den erkalteten Kuc[hen] damit überziehen.

■ **Tip:**
Für Diabetiker den Teig mit 100 g Fruchtzucker und 5 ml flüssigem Sü[ß]stoff zubereiten und nicht mit Guß überziehen.

Milka-Herzen-Torte

Zubereitungszeit: 50 Min.,
ohne Kühlzeit
Backzeit: 20–25 Min.

Insgesamt:
E: 87 g, F: 388 g, Kh: 568 g,
kJ: 26510, kcal: 6339

Für den Biskuitteig:

- **2 Eier**
- **2 EL heißes Wasser**
- **100 g Zucker**
- **1 Pck. Vanillin-Zucker**
- **100 g Weizenmehl**
- **1 gestr. TL Backpulver**

Für die Füllung:

- **5 mittelgroße Bananen**
- **2 EL Zitronensaft**
- **je 100 g Vollmilch- und Zartbitterschokolade**
- **3 Eier**
- **150 g weiche Butter**
- **1 Pck. Vanillin-Zucker**
- **500 ml (¹/₂ l) Schlagsahne**
- **2 Pck. Sahnesteif**

Zum Garnieren:

- **12–16 Milka-Herzen**
- **2 EL Schokoladenraspel**

1 Für den Biskuitteig Eier und Wasser mit Handrührgerät mit Rührbesen auf höchster Stufe in 1 Minute schaumig schlagen. Zucker mit Vanillin-Zucker mischen, in 1 Minute einstreuen, dann noch etwa 2 Minuten schlagen.

2 Mehl und Backpulver mischen, die Hälfte davon auf die Eiercreme sieben und kurz auf niedrigster Stufe unterrühren. Den Rest des Mehlgemisches auf die gleiche Weise unterarbeiten.

3 Den Teig in eine Springform (Ø 28 cm, Boden gefettet, mit Backpapier belegt) füllen. Die Form sofort auf dem Rost in den Backofen schieben.

Ober-/Unterhitze:
etwa 180 °C (vorgeheizt)
Heißluft: –
Gas: etwa Stufe 3 (nicht vorgeheizt)
Backzeit: 20–25 Min.

4 Den Tortenboden aus der Form lösen, auf einen Kuchenrost stürzen, das Backpapier abziehen und den Boden erkalten lassen.

5 Für die Füllung Bananen schälen und quer halbieren. Eine Hälfte in Scheiben schneiden, die restlichen Hälften längs halbieren.

Die Bananenstücke mit Zitronens. beträufeln.

6 Schokolade grob zerkleinern einem kleinen Topf im Wass. bad bei schwacher Hitze zu geschmeidiger Masse verrühren und etwas abkühlen lassen.

7 Eier trennen. Eigelb, Butter u. Vanillin-Zucker cremig rühr. Die abgekühlte Schokolade unterrühren. Eiweiß steif schlagen und unter die Masse heben.

8 Sahne mit Sahnesteif steif schlagen. Den Springformrar um den Tortenboden legen und di. halbierten Bananen auf dem Bode. verteilen. Erst die Sahne (4 Eßlöffe zum Verzieren zurückbehalten) u. dann die Schokoladenmasse darau. streichen. Die Torte etwa 3 Stunde. kalt stellen.

9 Die Torte mit Sahnetuffs verz. ren, mit Milka-Herzen, Bananenscheiben und Schokoladenraspeln garnieren.

■ Tip:

Für die Füllung nur absolut frische E verwenden.

Knuspertorte mit Quark

Zubereitungszeit: 35 Min.,
ohne Kühlzeit

Insgesamt:
E: 136 g, F: 165 g, Kh: 524 g,
kJ: 18016, kcal: 4288

Für Boden und Crossies:

- **100 g Vollmilchschokolade**
- **100 g Zartbitterschokolade**
- **200 g Knuspermüsli**

Für den Belag:

- **1 kleine Galiamelone (etwa 600 g)**
- **1 Dose Mandarinen (Abtropfgewicht 175 g)**
- **1 Pck. Dr. Oetker Quark-Sahne Tortenhilfe**
- **500 g Magerquark**
- **250 ml ($1/4$ l) Schlagsahne**

1 Für Boden und Crossies beide Schokoladensorten grob zerkleinern, zusammen in einem Topf im Wasserbad bei schwacher Hitze zu geschmeidiger Masse verrühren und mit dem Müsli mischen. Aus der Masse mit zwei Teelöffeln 12 kleine Häufchen abstechen, auf ein mit Öl bestrichenes Stück Backpapier setzen.

2 Die restliche Masse in einem Springformrand (Ø 26 cm) als Tortenboden auf eine leicht geölte Platte drücken. Boden und Häufchen etwa 30 Minuten kalt stellen.

3 In der Zwischenzeit für den Belag die Melone vierteln und entkernen. Das Fruchtfleisch von der Schale schneiden. 3 Melonenviertel in feine Würfel, das restliche Vier in Spalten schneiden.

4 Mandarinen auf einem Sieb tropfen lassen, dabei den Sa auffangen und mit Wasser auf 500 ml ($1/2$ l) auffüllen. Tortenhil Quark und Saft cremig rühren.

5 Sahne steif schlagen, mit de Melonenwürfeln und $2/3$ de Mandarinen unterheben. Die Cre auf den Tortenboden streichen ur mindestens 4 Stunden kalt stellen.

6 Die Torte mit Melonenspalt restlichen Mandarinen und Crossies garniert servieren.

■ **Abwandlung:**
Die Torte anstelle mit Melone und Mandarinen nur mit Himbeeren zubereiten.

■ **Tip:**
Die Galiamelone ist eine Netzmelonenart.

Fress-mich-dumm-Kuchen

Zubereitungszeit: 35 Min.
Backzeit: 15–20 Min.

Insgesamt:
E: 83 g, F: 414 g, Kh: 507 g,
kJ: 26253, kcal: 6270

Für den Knetteig:
- **250 g Weizenmehl**
- **3 gestr. TL Backpulver**
- **65 g Zucker**
- **1 Prise Salz**
- **je 3 Tropfen Butter-Vanille- und Bittermandel-Aroma**
- **1 Ei**
- **125 g Butter oder Margarine**

Für die Buttercreme:
- **$\frac{1}{2}$ Pck. Pudding-Pulver Vanille-Geschmack**
- **50 g Zucker**
- **1 Prise Salz**
- **250 ml ($\frac{1}{4}$ l) Milch**
- **125 g Butter**
- **25 g Kokosfett**

Für den Belag:
- **250 g grob gehackte Walnußkerne**
- **125 g Butter**
- **125 g Zucker**
- **50 g Halbbitterkuvertüre**

1 Für den Knetteig Mehl und Backpulver mischen und in eine Rührschüssel sieben. Zucker, Salz, Aromen, Ei und Butter oder Margarine hinzufügen. Die Zutaten mit Handrührgerät mit Knethaken zunächst kurz auf niedrigster, dann auf höchster Stufe gut durcharbeiten.

2 Anschließend auf der bemehlten Arbeitsfläche zu einem glatten Teig verkneten, sollte er kleben, ihn eine Zeitlang kalt stellen. Den Teig auf einem gefetteten Backblech etwa $\frac{1}{2}$ cm dick ausrollen und mehrmals mit einer Gabel einstechen. Das Backblech in den Backofen schieben.

Ober-/Unterhitze:
etwa 200 °C (vorgeheizt)
Heißluft: etwa 180 °C
(nicht vorgeheizt)
Gas: Stufe 3–4 (vorgeheizt)
Backzeit: 15–20 Min.

3 Den Boden auf dem Backble erkalten lassen.

4 Für die Buttercreme aus Pudding-Pulver, Zucker, Salz und Milch nach Packungsaufschri einen Pudding zubereiten und un gelegentlichem Umrühren erkalte lassen.

5 Butter und Kokosfett zerlasse etwas abkühlen lassen, zu de Pudding geben, gut verrühren und auf den erkalteten Boden streicher.

6 Für den Belag Walnußkerne Butter und Zucker rösten un auf der Creme verteilen. Kuvertüre einem kleinen Topf im Wasserbad bei schwacher Hitze zu geschmeidi ger Masse verrühren. In einen Ge frierbeutel geben, eine Ecke ab schneiden und den Kuchen mit de Kuvertüre besprenkeln.

- **Abwandlung:**
Für eine Erwachsenenversion anstel der Walnüsse abgezogene, gehobel Mandeln verwenden und die Butter creme mit 2–3 Eßlöffeln Amaretto abschmecken.

Heissgeliebte Klassiker

Wer kennt sie nicht, di Evergreens der Kaffee-tafel, erprobt und ge-lobt und immer wiede gern gegessen? Hier kommen Philadelphia Torte, Schwimmbad-torte und, und, und.

Aranca-Sekt-Torte

Zubereitungszeit: 50 Min.
Backzeit: etwa 30 Min.

Insgesamt:
E: 82 g, F: 238 g, Kh: 525 g,
kJ: 20986, kcal: 5015

Für den Biskuitteig:
- **4 Eier**
- **4 EL heißes Wasser**
- **150 g Zucker**
- **1 Pck. Vanillin-Zucker**
- **150 g Weizenmehl**
- **1 gestr. TL Backpulver**
- **100 g abgezogene, gemahlene Mandeln**

Für die Füllung:
- **2 Dosen Mandarinen (à Abtropfgewicht 175 g)**

- **2 Pck. Aranca Mandarinen-Geschmack**
- **400 ml Sekt**
- **500 ml (¹/₂ l) Schlagsahne**
- **1 Pck. Sahnesteif**
- **1 Pck. Vanillin-Zucker**

- **Schoko-Ornamente**

1 Für den Biskuitteig Eier und Wasser mit Handrührgerät mit Rührbesen auf höchster Stufe in 1 Minute schaumig schlagen. Zucker und Vanillin-Zucker mischen, in 1 Minute einstreuen, dann noch etwa 2 Minuten schlagen.

2 Mehl mit Backpulver mischen, die Hälfte davon auf die Eier-creme sieben und kurz unterrühren.

Den Rest des Mehlgemisches auf d gleiche Weise unterarbeiten. Man-deln unterrühren. Den Teig in eine Springform (Ø 28 cm, Boden gefe tet, mit Backpapier belegt) füllen. Form sofort auf dem Rost in den Backofen schieben.

Ober-/Unterhitze:
etwa 180 °C (vorgeheizt)
Heißluft: –
Gas: Stufe 2–3 (nicht vorgeheizt)
Backzeit: etwa 30 Min.

3 Den Tortenboden aus der For lösen, auf einen mit Backpapi belegten Kuchenrost stürzen, das Backpapier abziehen, den Boden er

(Fortsetzung Seite

Wilde Wachau

(Fortsetzung von Aranca-Sekt-Torte)

kalten lassen und einmal waagerecht durchschneiden.

4 Für die Füllung Mandarinen auf einem Sieb abtropfen lassen. Aranca nach Packungsaufschrift – aber mit Sekt anstelle von Wasser – zubereiten.

5 Sahne mit Sahnesteif und Vanillin-Zucker steif schlagen und unter die Speise rühren. $1/4$ der Creme auf den unteren Boden streichen, mit den Mandarinen (einige zum Garnieren zurücklassen) belegen, mit knapp der Hälfte der restlichen Creme bestreichen und mit dem oberen Boden bedecken.

6 Tortenoberfläche und -rand mit der Hälfte der restlichen Creme bestreichen. Creme in einen Spritzbeutel füllen, Tortenoberfläche damit verzieren. Mit zurückgelassenen Mandarinen und Schoko-Ornamenten garnieren.

Zubereitungszeit: 50 Min.
Backzeit: etwa 30 Min.

Insgesamt:
E: 91 g, F: 353 g, Kh: 327 g,
kJ: 21168, kcal: 5059

Für den Biskuitteig:
- 4 Eier
- 140 g Zucker
- 50 g Weizenmehl
- 1 gestr. TL Backpulver
- 50 g geriebene Zartbitterschokolade
- 3 fein zerbröselte Zwiebäcke

- 140 g abgezogene, gemahlene Mandeln

Für den Belag:
- 500 ml (1/2 l) Schlagsahne
- 2 Pck. Sahnesteif
- 20 g Zucker
- 2 Pck. Vanillin-Zucker
- 2 Beutel Instant Cappuccinopulver

Zum Verzieren:

250 ml (¹/₄ l) Schlagsahne

gesiebter Puderzucker

Für den Biskuitteig Eier mit Handrührgerät mit Rührbe- auf höchster Stufe in 1 Minute aumig schlagen. Zucker in 1 Mi- te einstreuen, dann noch etwa Minuten schlagen.

2 Mehl und Backpulver mischen, auf die Eiercreme sieben und kurz auf niedrigster Stufe unter- rühren. Schokolade, Zwiebäcke und Mandeln mischen und unterrühren.

3 Den Teig in eine Springform (Ø 28 cm, Boden gefettet, mit Backpapier belegt) füllen und die Form sofort auf dem Rost in den Backofen schieben.

Ober-/Unterhitze: etwa 180 °C (vorgeheizt)
Heißluft: –
Gas: Stufe 2–3 (nicht vorgeheizt)
Backzeit: etwa 30 Min.

4 Den Boden aus der Form lösen, auf einen Kuchenrost stürzen, das Backpapier abziehen und den Boden erkalten lassen. ¹/₃ des Bodens waagerecht abschneiden.

5 Für den Belag Sahne mit Sah- nesteif, Zucker und Vanillin- Zucker steif schlagen. Cappuccino- pulver unterrühren und die Masse kuppelartig auf den unteren (dickeren) Boden streichen.

6 Sahne steif schlagen und auf die Cappuccinosahne strei- chen. Den oberen (dünneren) Boden zerbröseln und die Torte damit bestreuen. Mit Puderzucker bestäuben.

Philadelphia-Torte

Foto
Zubereitungszeit: 25 Min.,
ohne Kühlzeit

Insgesamt:
E: 59 g, F: 328 g, Kh: 261 g,
kJ: 18253, kcal: 4361

Für den Boden:
- 150 g Löffelbiskuits
- 120 g Butter

Für die Füllung:
- 1 Beutel aus 1 Pck. Götter-speise Zitrone-Geschmack
- 200 ml Wasser
- 200 g Philadelphia (Doppelrahm-Frischkäse)

- 125 g Zucker
- 1 Pck. Vanillin-Zucker
- 2 EL Zitronensaft
- 500 ml (½ l) Schlagsahne

- 60 g Löffelbiskuits

1 Für den Boden Löffelbiskuits in eine Plastiktüte geben, die Tüte verschließen, die Löffelbiskuits mit einer Teigrolle zerdrücken und in eine Schüssel geben.

2 Butter zerlassen, zu den Löffel-biskuits geben und gut ver-rühren. Die Masse gleichmäßig in eine Springform (Ø 26 cm, Boden gefettet) verteilen und gut andrücken.

3 Für die Füllung Götterspeise mit Wasser anrühren, 10 Mi[nu]ten zum Quellen stehen lassen, u[nter] Rühren erhitzen, bis die Götters[peise] gelöst ist und etwas abkühlen lass[en.]

4 Frischkäse mit Zucker, Vani[llin-]Zucker und Zitronensaft ver[rühren, Götterspeise unterrühren.]

5 Wenn die Masse anfängt dic[k]lich zu werden, Sahne steif schlagen, unterheben. Die Masse a[uf] dem Boden verteilen, glattstreiche[n.]

6 Löffelbiskuits zerkrümeln, a[uf] die Käsemasse streuen und d[ie] Torte bis zum Verzehr kalt stellen.

Philadelphia-Wein-Torte

Zubereitungszeit: 25 Min.,
ohne Kühlzeit

Insgesamt:
E: 60 g, F: 328 g, Kh: 238 g,
kJ: 18583, kcal: 4439

Für den Boden:
- siehe Philadelphia-Torte

Für die Füllung:
- 1 Pck. Gelatine gemahlen, weiß

- 4 EL kaltes Wasser
- 200 g Philadelphia
- 6 EL Zucker
- 1 Pck. Vanillin-Zucker
- Saft von 2 Zitronen
- 250 ml (¼ l) Weißwein
- 500 ml (½ l) Schlagsahne
- 60 g Löffelbiskuits

1 Boden entsprechend Philadel-phia-Torte zubereiten.

2 Für die Füllung Gelatine mit Wasser anrühren und 10 Mi-nuten quellen lassen. Philadelphia mit Zucker, Vanillin-Zucker, Zitro-nensaft und Wein verrühren. Ge-latine auflösen und unterrühren.

3 Wenn die Masse anfängt dick-lich zu werden, Sahne steif schlagen, unterheben. Die Masse a[uf] dem Boden verteilen, glattstreiche[n.]

4 Löffelbiskuits zerkrümeln, au[f] die Käsemasse streuen und d[ie] Torte etwa 2 Stunden kalt stellen.

Dänische Sauerrahmtorte

Zubereitungszeit: 40 Min., ohne Kühlzeit
Backzeit: etwa 10 Min.

Insgesamt:
E: 63 g, F: 405 g, Kh: 555 g, kJ: 26269, kcal: 6277

Für den Knetteig:
- **150 g Weizenmehl**
- **50 g Zucker**
- **100 g Butter**

- **2 EL Aprikosenkonfitüre**

- **je 1 heller und dunkler, etwa 1 cm dicker Biskuitboden (fertig gekauft)**

Für die Füllung:
- **6 Blatt weiße Gelatine**
- **400 g Schmand**
- **Saft von 1 Zitrone**
- **150 g Zucker**
- **500 ml (½ l) Schlagsahne**
- **1 Dose Mandarinen (Abtropfgewicht 175 g)**
- **1 kleine Dose Aprikosen (Abtropfgewicht 240 g)**

Zum Verzieren:
- **250 ml (¼ l) Schlagsahne**
- **1 Pck. Vanillin-Zucker**

1 Für den Knetteig Mehl in eine Rührschüssel sieben. Zucker und Butter hinzufügen. Die Zutaten mit Handrührgerät mit Knethaken zunächst kurz auf niedrigster, dann auf höchster Stufe gut durcharbeiten.

2 Anschließend auf der bemehlten Arbeitsfläche zu einem glatten Teig verkneten, sollte er kleben, ihn eine Zeitlang kalt stellen. Den Teig auf einem gefetteten Springformboden (Ø 26 cm) ausrollen und mehrmals mit einer Gabel einstechen. Den Springformrand um den Boden legen. Die Form auf dem Rost in den Backofen schieben.

Ober-/Unterhitze:
etwa 200 °C (vorgeheizt)
Heißluft: etwa 180 °C
(nicht vorgeheizt)
Gas: Stufe 3–4 (vorgeheizt)
Backzeit: etwa 10 Min.

3 Den Tortenboden aus der Form lösen und auf einem Kuchenrost erkalten lassen.

4 Den Tortenboden mit Aprikosenkonfitüre bestreichen und mit dem hellen Biskuitboden bedecken. Einen Tortenring um den Boden legen.

5 Für die Füllung Gelatine in wenig kaltem Wasser einweichen. Schmand mit Zitronensaft u Zucker verrühren. Gelatine gründlich ausdrücken, auflösen und unt rühren. Wenn die Masse anfängt z gelieren, Sahne steif schlagen und unterheben.

6 Die Hälfte der Creme auf de hellen Biskuitboden verteile den dunklen Biskuitboden darauf legen.

7 Mandarinen und Aprikosen einem Sieb abtropfen lassen, einige zum Garnieren zurücklasse und die restlichen auf dem Boden verteilen. Die restliche Creme dara geben und glattstreichen. Die Tort etwa 3 Stunden kalt stellen.

8 Den Tortenring entfernen. Sahne mit Vanillin-Zucker st schlagen, in einen Spritzbeutel mi Sterntülle füllen. Die Tortenoberflä che mit Sahne verzieren und mit d zurückgelassenen Mandarinen un in Spalten geschnittenen Aprikose garnieren.

- **Tip:**
Schmand ist ein 20-24%iger Sauerrahm.

Kratertorte

Zubereitungszeit: 50 Min.
Backzeit: etwa 40 Min.

Insgesamt:
E: 102 g, F: 305 g, Kh: 484 g,
kJ: 22319, kcal: 5332

Für den Rührteig:

- **125 g weiche Butter oder Margarine**
- **125 g Zucker**
- **1 Pck. Vanillin-Zucker**
- **5 Tropfen Zitronen-Aroma**
- **1 Prise Salz**
- **4 Eigelb**
- **150 g Weizenmehl**
- **1 gestr. TL Backpulver**
- **2 EL Milch**

Für die Baisermasse:

- **4 Eiweiß**
- **100 g feinkörniger Zucker**
- **200 g abgezogene, gehobelte Mandeln**

Für die Himbeerfüllung:

- **300 g TK-Himbeeren**
- **50 g Zucker**
- **250 ml (¹/₄ l) Himbeersaft (mit Apfelsaft aufgefüllt)**
- **1 Pck. Tortenguß, rot**

Für die Sahne-Joghurt-Füllung:

- **200 ml Schlagsahne**
- **1 Pck. Sahnesteif**
- **20 g Zucker**
- **75 g Joghurt**

1 Für den Rührteig Butter oder Margarine mit Handrührgerät mit Rührbesen auf höchster Stufe geschmeidig rühren. Nach und nach Zucker, Vanillin-Zucker, Zitronen-Aroma und Salz unterrühren, so lange rühren, bis eine gebundene Masse entstanden ist. Eigelb nach und nach unterrühren (jedes Eigelb etwa ¹/₂ Minute).

2 Mehl mit Backpulver misch‹ sieben und abwechselnd por tionsweise mit Milch auf mittlere‹ Stufe unterrühren (nur soviel Mil verwenden, daß der Teig schwer-r‹ ßend von einem Löffel fällt). Jewe‹ die Hälfte des Teiges auf einen gef‹ teten Springformboden (Ø 28 cm‹ streichen.

Für die Baisermasse Eiweiß steif schlagen. Nach und nach [Zuc]ker unterschlagen. Jeweils die [Hä]lfte der Masse auf jeden Boden [str]eichen und mit jeweils der Hälfte [der] Mandeln bestreuen. Jeden Boden [mit] Springformrand auf dem Rost in [den] Backofen schieben.

Ober-/Unterhitze: etwa 180 °C (vorgeheizt, untere Einschubleiste)
Heißluft: etwa 160 °C (nicht vorgeheizt)
Gas: etwa Stufe 3 (nicht vorgeheizt)
Backzeit: etwa 20 Min. pro Boden.

4 Die Böden sofort nach dem Backen aus der Form lösen und einzeln auf einem Kuchenrost abkühlen lassen.

5 Für die Himbeerfüllung Himbeeren mit Zucker bestreuen und auftauen lassen. Die Beeren zum Abtropfen auf ein Sieb geben, den Saft dabei auffangen und mit Apfelsaft auf 250 ml ($^1/_4$ l) ergänzen.

6 Tortenguß mit Saft nach Packungsaufschrift zubereiten, Himbeeren unterrühren und die Masse abkühlen lassen.

7 Für die Sahne-Joghurt-Füllung Sahne mit Sahnsteif und Zucker steif schlagen. Joghurt vorsichtig unterrühren.

8 Einen Boden zunächst mit der Himbeermasse, dann mit der Sahnemasse bestreichen. Mit dem anderen Boden bedecken.

■ **Abwandlung:**
Nach Belieben etwas Himbeergeist unter die Himbeerfüllung rühren.

■ **Tip:**
Anstelle der TK-Himbeeren können Sie auch frische oder Früchte aus der Dose verwenden.

Schmand-Torte

Zubereitungszeit: 35 Min.
Backzeit: etwa 70 Min.

Insgesamt:
E: 55 g, F: 171 g, Kh: 450 g,
kJ: 15366, kcal: 3670

Für den Knetteig:
- **175 g Weizenmehl**
- **1 Msp. Backpulver**
- **60 g Zucker**
- **1 Pck. Vanillin-Zucker**
- **1 Ei**
- **100 g Butter oder Margarine**

Für den Belag:
- **1 Pck. Pudding-Pulver Vanille-Geschmack**
- **60 g Zucker**
- **500 ml (1/2 l) Milch**
- **300 g Schmand**
- **2 Dosen Mandarinen (à Abtropfgewicht 175 g)**

Für den Guß:
- **1 Pck. Tortenguß, klar**
- **2 EL Zucker**
- **250 ml (1/4 l) Mandarinen-saft**

1 Für den Knetteig Mehl und Backpulver mischen und in eine Rührschüssel sieben. Zucker, Vanillin-Zucker, Ei und Butter oder Margarine hinzufügen. Die Zutaten mit Handrührgerät mit Knethaken zunächst kurz auf niedrigster, dann auf höchster Stufe gut durcharbeiten.

2 Anschließend auf der bemehlten Arbeitsfläche zu einem glatten Teig verkneten, sollte er kleben, ihn eine Zeitlang kalt stellen. 2/3 des Teiges auf einem gefetteten Springformboden (Ø 26 cm) ausrollen und mehrmals mit einer Gabel einstechen. Die Form auf dem Rost in den Backofen schieben.

Ober-/Unterhitze:
200–220 °C (vorgeheizt)
Heißluft: 180–200 °C
(nicht vorgeheizt)
Gas: Stufe 3–4 (vorgeheizt)
Backzeit: etwa 10 Min.

3 Den Boden in der Form auskühlen lassen.

4 Für den Belag aus Pudding-Pulver, Zucker und Milch nach Packungsaufschrift einen Pudding zubereiten und unter gelegentlichem Umrühren etwas abkühlen lassen. Schmand unterrühren.

5 Mandarinen auf einem Sieb abtropfen lassen, dabei den S[...] auffangen und 250 ml (1/4 l) abmessen (evtl. mit Wasser ergänzen[...]

6 Den restlichen Teig zu einer Rolle formen, als Rand auf d[...] Knetteigboden legen und so an die Form drücken, daß ein etwa 3 cm hoher Rand entsteht. Die Puddingcreme in die Form geben und mit Mandarinen belegen. Die For[...] auf dem Rost in den Backofen schi[...]ben.

Ober-/Unterhitze:
etwa 180 °C (vorgeheizt)
Heißluft: etwa 160 °C
(nicht vorgeheizt)
Gas: Stufe 2–3 (nicht vorgeheizt)
Backzeit: etwa 60 Min.

7 Die Torte aus der Form lösen und auf einem Kuchenrost erkalten lassen.

8 Für den Guß aus Tortenguß, Zucker und Mandarinensaft nach Packungsaufschrift einen Gu[...] bereiten, auf dem Gebäck verteilen und fest werden lassen.

- **Tip:**
Anstelle von Schmand kann auch Crème fraîche verwendet werden.

Wickeltorte

Zubereitungszeit: 50 Min.
Backzeit: etwa 22 Min.

Insgesamt:
E: 81 g, F: 375 g, Kh: 569 g,
kJ: 25906, kcal: 6192

Für den Knetteig:
- **125 g Weizenmehl**
- **1 Msp. Backpulver**
- **50 g Zucker**
- **1 Pck. Vanillin-Zucker**
- **100 g Butter**

- **280 g Himbeerkonfitüre**

Für den Biskuitteig:
- **4 Eier**
- **3–4 EL heißes Wasser**
- **3 Tropfen Zitronen-Aroma**
- **75 g Zucker**
- **1 Pck. Vanillin-Zucker**
- **75 g Weizenmehl**
- **50 g Speisestärke**
- **1 Msp. Backpulver**

Für die Füllung:
- **800 ml Schlagsahne**
- **3 Pck. Sahnesteif**
- **3 Pck. Vanillin-Zucker**

- **Himbeeren**
- **geröstete Mandelblättchen**

1 Für den Knetteig Mehl und Backpulver mischen und in eine Rührschüssel sieben. Zucker, Vanillin-Zucker, und Butter hinzufügen. Die Zutaten mit Handrührgerät mit Knethaken zunächst kurz auf niedrigster, dann auf höchster Stufe gut durcharbeiten.

2 Anschließend auf der bemehlten Arbeitsfläche zu einem glatten Teig verkneten, sollte er kleben, ihn eine Zeitlang kalt stellen. Den Teig auf einem gefetteten Springformboden (Ø 26 cm) ausrollen und mehrmals mit einer Gabel einstechen. Den Springformrand um die Form legen und die Form auf dem Rost in den Backofen schieben.

Ober-/Unterhitze:
etwa 200 °C (vorgeheizt)
Heißluft: etwa 180 °C
(nicht vorgeheizt)
Gaß: Stufe 3–4 (vorgeheizt)
Backzeit: etwa 10 Min.

3 Den Tortenboden sofort aus der Form lösen und erkalten lassen. Konfitüre durch ein Sieb streichen, 2 Eßlöffel abnehmen und den erkalteten Boden damit bestreichen.

4 Für den Biskuitteig Eier, Wasser und Zitronen-Aroma mit Handrührgerät mit Rührbesen auf höchster Stufe in 1 Minute schaumig schlagen. Zucker mit Vanillin-Zucker mischen, in 1 Minute einstreuen, dann noch etwa 2 Minuten schlagen.

5 Mehl, Speisestärke und Backpulver mischen, auf die Eiercreme sieben und kurz auf niedrigster Stufe unterrühren. Teig auf ein gefettetes, mit Backpapier belegtes Backblech streichen, Papier vor dem Teig zu einer Falte knicken. Backblech sofort in den Backofen schieben.

Ober-/Unterhitze:
etwa 200 °C (vorgeheizt)
Heißluft: –
Gas: Stufe 3–4 (vorgeheizt)
Backzeit: etwa 12 Min.

6 Den Biskuit sofort auf ein mit Zucker bestreutes Geschirrtuch stürzen. Das Backpapier schnell abziehen. Die Platte der Länge nach in 7 Streifen von etwa 4 cm Breite schneiden, mit der restlichen Konfitüre bestreichen (etwas zurücklassen).

7 Sahne mit Sahnesteif und Vanillin-Zucker steif schlagen und 2/3 davon auf die Konfitüre streichen. Den ersten Teigstreifen spiralförmig aufrollen und senkrecht in die Mitte des Knetteigbodens stellen. Die übrigen Streifen quer in Hälften schneiden. Mit den Stücken die Spirale fortsetzen, so daß eine Torte entsteht.

8 Rand und Oberfläche mit Sahne bestreichen und verzieren, mit Konfitüre besprenkeln, mit Himbeeren und Mandeln garnieren.

Schwimmbadtorte

Zubereitungszeit: 45 Min.
Backzeit: 60–65 Min.

Insgesamt:
E: 69 g, F: 222 g, Kh: 482 g,
kJ: 18154, kcal: 4340

Für den Biskuitteig:
- **2 Eier**
- **2 EL heißes Wasser**
- **80 g Zucker**
- **1 Pck. Vanillin-Zucker**
- **80 g Weizenmehl**
- **½ gestr. TL Backpulver**

Für den Rührteig:
- **50 g Butter, 50 g Zucker**
- **1 Pck. Vanillin-Zucker**
- **2 Eigelb**
- **70 g Weizenmehl**
- **1 Msp. Backpulver**

Für den Belag:
- **2 Eiweiß, 100 g Zucker**
- **50 g abgezogene, gehackte Mandeln**

Für die Füllung:
- **1 Dose Ananasstücke (Abtropfgewicht 255 g)**
- **1 Pck. Pudding-Pulver Vanille-Geschmack**
- **400 ml Ananassaft (mit Apfelsaft ergänzt)**
- **400 ml Schlagsahne**
- **1 Pck. Sahnesteif**
- **1 TL Zucker**

1 Für den Biskuitteig Eier und Wasser mit Handrührgerät mit Rührbesen auf höchster Stufe in 1 Minute schaumig schlagen. Zucker mit Vanillin-Zucker mischen, in 1 Minute einstreuen, dann noch etwa 2 Minuten schlagen.

2 Mehl und Backpulver mischen, auf die Eiercreme sieben und kurz auf niedrigster Stufe unterrühren. Den Teig in eine Springform (Ø 26 cm, Boden gefettet, mit Backpapier belegt) füllen. Die Form sofort auf dem Rost in den Backofen schieben.

Ober-/Unterhitze:
etwa 180 °C (vorgeheizt)
Heißluft: –
Gas: Stufe 2–3 (nicht vorgeheizt)
Backzeit: 25–30 Min.

3 Den Boden aus der Form lösen, auf einen Kuchenrost stürzen, das Backpapier abziehen, Boden erkalten lassen.

4 Für den Rührteig Butter mit Handrührgerät mit Rührbesen auf höchster Stufe geschmeidig rühren. Nach und nach Zucker und Vanillin-Zucker unterrühren, so lange rühren, bis eine gebundene Masse entstanden ist. Eigelb nach und nach unterrühren (jedes Eigelb knapp ½ Minute).

5 Mehl mit Backpulver misch[en] sieben und portionsweise au[f] mittlerer Stufe unterrühren. Den Teig in eine Springform (Ø 26 cm[,] Boden gefettet) füllen.

6 Für den Belag Eiweiß steif schlagen. Zucker nach und nach unterschlagen. Die Masse au[f] dem Boden verteilen und mit Ma[n]deln bestreuen. Die Form auf den Rost in den Backofen schieben.

Ober-/Unterhitze: etwa 180 °C (vorgeheizt, untere Einschubleis[te])
Heißluft: etwa 160 °C (nicht vorgeheizt)
Gas: Stufe 3–4 (nicht vorgeheizt[)]
Backzeit: etwa 35 Min.

7 Den Boden aus der Form lös[en] sofort in 16 Stücke schneide[n,] auf einem Kuchenrost erkalten lass[en.]

8 Für die Füllung Ananas abtro[p]fen lassen, Saft auffangen, mi[t] Apfelsaft auf 400 ml auffüllen. Aus Pudding-Pulver und Saft nach Packungsaufschrift einen Pudding kochen. Ananas unterheben. Puddingmasse auf den Biskuitboden streichen, erkalten lassen.

9 Sahne mit Sahnesteif und Zu[c]ker steif schlagen, auf den Pu[d]ding streichen, mit dem geschnitte[ne]n Rührteigboden bedecken.

Rotweinkuchen

Foto
Zubereitungszeit: 25 Min.
Backzeit: 60–70 Min.

Insgesamt:
E: 91 g, F: 337 g, Kh: 399 g,
kJ: 22421, kcal: 5357

- **250 g weiche Butter oder Margarine**
- **125 g Zucker**
- **1 Pck. Vanillin-Zucker**
- **4 Eier**
- **2 EL Rum**
- **250 g Weizenmehl**
- **1/2 Pck. Backpulver**
- **3 TL Kakaopulver**
- **1 TL gemahlener Zimt**
- **150 g Schokoladenraspel**
- **100 g abgezogene, gehobelte Mandeln**
- **125 ml (1/8 l) Rotwein**

1 Butter mit Handrührgerät mit Rührbesen auf höchster Stufe geschmeidig rühren. Nach und nach Zucker und Vanillin-Zucker unterrühren, so lange rühren, bis eine gebundene Masse entstanden ist. Eier nach und nach unterrühren (jedes Ei etwa 1/2 Minute). Rum hinzufügen.

2 Mehl mit Backpulver, Kakao und Zimt mischen, sieben und auf mittlerer Stufe portionsweise ab- wechselnd mit Schokoladenraspel und Mandeln unterrühren.

3 Rotwein auf mittlerer Stufe unterrühren und den Teig in eine gefettete Kastenform (30 x 11 cm) füllen. Die Form auf dem Rost in den Backofen schieben.

Ober-/Unterhitze:
etwa 180 °C (vorgeheizt)
Heißluft: etwa 160 °C
(nicht vorgeheizt)
Gas: Stufe 2–3 (nicht vorgeheizt)
Backzeit: 60–70 Min.

4 Den Kuchen aus der Form lö- sen und auf einem Kuchenro erkalten lassen.

Eierlikörkuchen

Zubereitungszeit: 15 Min.
Backzeit etwa 60 Min.

Insgesamt:
E: 64 g, F: 296 g, Kh: 575 g,
kJ: 24011, kcal: 5733

- **5 Eier**
- **250 g gesiebter Puder- zucker**
- **2 Pck. Vanillin-Zucker**
- **250 ml (1/4 l) Speiseöl**
- **250 ml (1/4 l) Eierlikör**
- **125 g Weizenmehl**
- **125 g Speisestärke**
- **4 gestr. TL Backpulver**
- **40 g gesiebter Puderzucker**

1 Eier, Puderzucker und Vanillin- Zucker mit Handrührgerät mit Rührbesen auf höchster Stufe in 1 Minute schaumig rühren. Öl und Eierlikör unterrühren.

2 Mehl mit Speisestärke und Backpulver mischen, sieben und portionsweise auf mittlerer Stu- fe unterrühren. Den Teig in eine gefettete, mit Mehl ausgestreute Napfkuchenform (Ø 24 cm) füller Die Form sofort auf dem Rost in d Backofen schieben.

Ober-/Unterhitze:
etwa 180 ˚C (vorgeheizt)
Heißluft–
Gas: Stufe 3–4 (nicht vorgeheizt)
Backzeit: etwa 60 Min.

3 Den Kuchen etwa 10 Minute in der Form stehen lassen, au einen Kuchenrost stürzen und erka ten lassen. Den erkalteten Kuchen mit Puderzucker bestäuben.

Torten mit Schwips

Mona-Lila-Torte

Zubereitungszeit: 40 Min.
Backzeit: etwa 60 Min.

Insgesamt:
E: 106 g, F: 555 g, Kh: 609 g,
kJ: 35169, kcal: 8504

Für den Rührteig:
- **200 g weiche Butter oder Margarine**
- **150 g Zucker**
- **1 Pck. Vanillin-Zucker**
- **4 Eier**
- **300 g Weizenmehl**
- **4 gestr. TL Backpulver**
- **1 EL Kakaopulver**
- **100 g abgezogene, gemahlene Mandeln**
- **50 g geriebene Schokolade**
- **150 g Mona Lila**

Zum Tränken:
- **2 cl Kirschlikör**

Für die Füllung:
- **750–800 ml Schlagsahne**
- **3 Pck. Sahnesteif**
- **1 Pck. Mona Lila**

1 Für den Rührteig Butter oder Margarine mit Handrührgerät mit Rührbesen auf höchster Stufe geschmeidig rühren. Nach und nach Zucker und Vanillin-Zucker unterrühren, so lange rühren, bis eine gebundene Masse entstanden ist. Eier nach und nach unterrühren (jedes Ei etwa $1/2$ Minute).

2 Mehl mit Backpulver und Kakao mischen, sieben und abwechselnd portionsweise mit Man-

deln und Schokolade auf mittlerer Stufe unterrühren.

3 Mona Lila in einem Topf im Wasserbad schmelzen und unter den Teig rühren. Teig in eine Springform (Ø 28 cm, Boden gefettet, mit Backpapier belegt) füllen, a dem Rost in den Backofen schiebe

Ober-/Unterhitze:
etwa 180 °C (vorgeheizt)
Heißluft: etwa 160 °C
(nicht vorgeheizt)
Gas: Stufe 2–3
(nicht vorgeheizt)
Backzeit: etwa 60 Min.

4 Den Boden evtl. nach 45 Minuten mit Alufolie abdecken.

(Fortsetzung Seite 72)

Das fertige Gebäck aus der Form lösen, auf einen Kuchenrost stürzen, das Backpapier abziehen und erkalten lassen.

5 Den Boden zweimal waagerecht durchschneiden, den unteren Boden mit Kirschlikör tränken.

6 Für die Füllung Sahne mit Sahnesteif steif schlagen. ¼ der Sahne auf den unteren Boden streichen, mit dem mittleren Boden bedecken, ihn mit der Hälfte der restlichen Sahne bestreichen, den oberen Boden darauflegen.

7 Tortenoberfläche und -rand restlicher Sahne (3 Eßlöffel z Verzieren zurücklassen) bestreich

8 Die zurückgelassene Sahne einen Spritzbeutel mit Sterr le füllen und die Torte mit Sahne verzieren und Mona Lila garniere

Stricknadeltorte

Zubereitungszeit: 30 Min.
Backzeit: 40–45 Min.

Insgesamt:
E: 92 g, F: 383 g, Kh: 559 g,
kJ: 26658, kcal: 6370

Für den Rührteig:
- **250 g weiche Butter oder Margarine**
- **250 g Zucker**
- **1 Pck. Vanillin-Zucker**
- **½ Fläschchen Butter-Vanille-Aroma**
- **6 Eier**
- **250 g Weizenmehl**
- **2½ gestr. TL Backpulver**

Zum Tränken:
- **250 ml (¼ l) kalter Kaffee**
- **3 EL Zucker**
- **2 EL Kakaopulver**
- **1 EL Rum**

Für die Eierlikörsahne:
- **400 ml Schlagsahne**
- **2 Pck. Sahnesteif**

- **2 TL Zucker**
- **5 EL (75 ml) Eierlikör**

- **Kakaopulver**
- **geraspelte Schokolade**

1 Für den Rührteig Butter oder Margarine mit Handrührgerät mit Rührbesen auf höchster Stufe geschmeidig rühren. Nach und nach Zucker, Vanillin-Zucker und Butter-Vanille-Aroma unterrühren, so lange rühren, bis eine gebundene Masse entstanden ist. Eier nach und nach unterrühren (jedes Ei etwa ½ Minute).

2 Mehl mit Backpulver mischen, sieben und portionsweise auf mittlerer Stufe unterrühren. Den Teig in eine Springform (Ø 28 cm, Boden gefettet) füllen. Die Form auf dem Rost in den Backofen schieben.

Ober-/Unterhitze:
etwa 180 °C (vorgeheizt)

Heißluft:
etwa 160 °C (nicht vorgeheizt)
Gas: Stufe 2–3 (nicht vorgeheizt
Backzeit: 40–45 Min.

3 Den Kuchen sofort nach de Backen mehrmals mit einer dicken Stricknadel einstechen un erkalten lassen.

4 Zum Tränken Kaffee, Zucke Kakao und Rum verrühren in die Löcher gießen. Den Kuche über Nacht durchziehen lassen.

5 Für die Eierlikörsahne Sahn mit 1 Päckchen Sahnesteif u Zucker steif schlagen. Restliches S nesteif mit dem Eierlikör verrühr und unter die Sahne rühren.

6 Eierlikörsahne kurz vor dem Verzehr auf den Kuchen stre chen und mit Kakao und Schokol verzieren.

Tiramisu-Torte

Zubereitungszeit: 45 Min.
Backzeit: etwa 20 Min.

Insgesamt:
E: 73 g, F: 209 g, Kh: 321 g,
kJ: 15146, kcal: 3619

Für den Biskuitteig:
- **2 Eier**
- **75 g Zucker**
- **1 Pck. Vanillin-Zucker**
- **1 Prise Salz**
- **75 g Weizenmehl**
- **25 g Speisestärke**
- **1 gestr. TL Backpulver**
- **1 gestr. EL Kakaopulver**

Zum Tränken:
- **100 ml Milch**
- **1 EL Zucker**
- **1 EL Kakaopulver**
- **½ Tasse (75 ml) starker schwarzer Kaffee**
- **1 EL Amaretto**

Für die Creme:
- **250 g Mascarpone**
- **125 g Magerquark**
- **50 g Zucker**
- **1 EL Amaretto**
- **250 ml (¼ l) Schlagsahne**
- **1 Pck. Sahnesteif**

- **100 g Löffelbiskuits**
- **Kakaopulver**

1 Für den Biskuitteig Eier mit Handrührgerät mit Rührbesen auf höchster Stufe in 1 Minute schaumig schlagen. Zucker mit Vanillin-Zucker und Salz mischen, in 1 Minute einstreuen, dann noch etwa 2 Minuten schlagen.

2 Mehl, Speisestärke, Backpulver und Kakao mischen, die Hälfte davon auf die Eiercreme sieben und kurz auf niedrigster Stufe unterrühren. Den Rest des Mehlgemisches auf die gleiche Weise unterarbeiten.

3 Den Teig in eine Springform (Ø etwa 26 cm, Boden gefettet, mit Backpapier belegt) füllen. Die Form sofort auf dem Rost in den Backofen schieben.

Ober-/Unterhitze:
etwa 180 °C (vorgeheizt)
Heißluft: –
Gas: Stufe 2–3 (nicht vorgeheizt)
Backzeit: etwa 20 Min.

4 Den Boden aus der Fom lös auf einen Kuchenrost stürze das Backpapier abziehen und den Boden erkalten lassen.

5 Zum Tränken Milch und de mit Zucker gemischten Kaka aufkochen lassen. Kaffee und Ama retto unterrühren. Mit der Hälfte Flüssigkeit den Tortenboden trän

6 Für die Creme Mascarpone, Quark, Zucker und Amarett verrühren. Sahne mit Sahnesteif steif schlagen.

7 Die Hälfte der Creme auf de getränkten Tortenboden stre chen und mit Löffelbiskuits beleg Diese mit der restlichen Flüssigke tränken (mit Hilfe eines Pinsels) mit der restlichen Creme bestrei chen.

8 Die Torte kühl stellen. Erst k vor dem Servieren mit Kaka bestäuben.

Rotkäppchen-Torte

Zubereitungszeit: 45 Min.,
ohne Kühlzeit
Backzeit: etwa 30 Min.

Insgesamt:
E: 136 g, F: 363 g, Kh: 589 g,
kJ: 26693, kcal: 6377

Für den Rührteig:
- **175 g weiche Butter oder Margarine**
- **150 g Zucker**
- **1 Pck. Vanillin-Zucker**
- **3 Eier**
- **200 g Weizenmehl**
- **2 TL Backpulver**
- **2–3 EL Nuß-Nougat-Creme**

- **1 Glas Sauerkirschen (Abtropfgewicht 370 g)**

Für die Füllung:
- **500 g Magerquark**
- **50 g Zucker**
- **1 Pck. Vanillin-Zucker**
- **500 ml (1/2 l) Schlagsahne**
- **3 Pck. Sahnesteif**

Für den Guß:
- **2 Pck. Tortenguß, rot**
- **50 g Zucker**
- **350 ml Kirschsaft**
- **50 ml Kirschwasser**

- **100 ml Schlagsahne**

1 Für den Rührteig Butter oder Margarine mit Handrührgerät mit Rührbesen auf höchster Stufe geschmeidig rühren. Nach und nach Zucker und Vanillin-Zucker unterrühren, so lange rühren, bis eine gebundene Masse entstanden ist. Eier nach und nach unterrühren (jedes Ei etwa 1/2 Minute).

2 Mehl mit Backpulver mischen, sieben und portionsweise auf mittlerer Stufe unterrühren. Die Hälfte des Teiges in eine Springform (Ø 28 cm, Boden gefettet) füllen, glattstreichen. Unter den restlichen Teig die Nuß-Nougat-Creme rühren und auf den hellen Teig streichen.

3 Sauerkirschen auf einem Sieb abtropfen lassen, dabei den Saft auffangen und 350 ml abmessen (evtl. mit Wasser auffüllen). Die Kirschen auf dem Teig verteilen (einige zum Verzieren zurücklassen). Die Form auf dem Rost in den Backofen schieben.

Ober-/Unterhitze:
etwa 180 °C (vorgeheizt)
Heißluft: etwa 160 °C
(nicht vorgeheizt)
Gas: Stufe 2–3 (nicht vorgeheizt)
Backzeit: etwa 30 Min.

4 Den Tortenboden aus der Form lösen und abkühlen lassen.

5 Für die Füllung Quark, Zuc und Vanillin-Zucker verrüh Sahne mit Sahnesteif steif schlag und unter den Quark heben. De Springformrand um den Boden legen, die Quarkmasse darauf ve streichen und die Torte kühl stell

6 Für den Guß aus Tortengu Zucker, dem abgemessenen und Kirschwasser nach Packungs schrift einen Guß bereiten, kurz abkühlen lassen und auf der Qua masse verteilen. Die Torte etwa 4 Stunden kühl stellen.

7 Sahne steif schlagen und di Torte mit Sahnetuffs und d zurückgelassenen Kirschen verzi

Abwandlung:
Sie können auch den hellen auf d dunklen Teig schichten, erst dann Kirschen darauf verteilen und den Boden abbacken. Die Füllung ohn Springformrand auf dem Boden ve teilen, den Tortenguß darauf verte und dabei zum Teil über den Rand fließen lassen. Die Torte ohne Sah verzierung servieren.

Tip:
Anstelle der Nuß-Nougat-Creme 2 Eßlöffel Kakaopulver in den Teig geben.

Champagnertorte

Zubereitungszeit: 60 Min.,
ohne Kühlzeit
Backzeit: 35–45 Min.

Insgesamt:
E: 99 g, F: 281 g, Kh: 616 g,
kJ: 23666, kcal: 5655

Für den Knetteig:
- **100 g Weizenmehl**
- **40 g Puderzucker**
- **1 Eigelb**
- **50 g Butter**

Für den Biskuitteig:
- **4 Eier**
- **150 g Zucker**
- **abgeriebene Schale von**
  1 Zitrone (unbehandelt)
- **100 g Weizenmehl**
- **100 g Speisestärke**
- **1/2 gestr. TL Backpulver**
- **50 g zerlassene,**
  abgekühlte Butter

Für die Füllung:
- **2 EL Himbeergelee**
- **6 Blatt weiße Gelatine**
- **2 Eigelb**
- **50 g Zucker**
- **125 ml (1/8 l) Champagner**
- **abgeriebene Schale und**
  Saft von 1 Zitrone
  (unbehandelt)
- **2 Eiweiß**
- **100 ml Schlagsahne**

Zum Garnieren:
- **300 ml Schlagsahne**
- **75 g Baiser**
- **75 g weiße Kuvertüre**
- **100 g frische oder**
  TK-Himbeeren
- **1 TL gesiebter Puderzucker**

1 Für den Knetteig Mehl und Puderzucker mischen und in eine Rührschüssel sieben. Eigelb und Butter hinzufügen. Die Zutaten mit Handrührgerät mit Knethaken zunächst kurz auf niedrigster, dann auf höchster Stufe gut durcharbeiten.

2 Anschließend auf der bemehlten Arbeitsfläche zu einem glatten Teig verkneten und etwa 30 Minuten kalt stellen.

3 Für den Biskuitteig Eier mit Handrührgerät mit Rührbesen auf höchster Stufe in 1 Minute schaumig schlagen. Zucker mit Zitronenschale mischen, in 1 Minute einstreuen, dann noch etwa 2 Minuten schlagen.

4 Mehl, Speisestärke und Backpulver mischen, die Hälfte davon auf die Eiercreme sieben und kurz auf niedrigster Stufe unterrühren. Den Rest des Mehlgemisches auf die gleiche Weise unterarbeiten. Die Butter unterziehen.

5 Den Teig in eine Springform (Ø 26 cm, Boden gefettet, m Backpapier belegt) füllen, die For sofort auf dem Rost in den Backc schieben.

Ober-/Unterhitze:
etwa 180 °C (vorgeheizt)
Heißluft: –
Gas: etwa Stufe 3 (nicht vorgehe
Backzeit: 25–30 Min.

6 Den Biskuitboden aus der Form lösen, auf einen Kuch rost stürzen, das Backpapier abzie hen und den Boden erkalten lasse

7 Den Knetteig auf einem gefetteten Springformboden (Ø 26 cm) ausrollen und mehrm. mit einer Gabel einstechen, den Rand um den Boden legen, auf d Rost in den Backofen schieben.

Ober-/Unterhitze:
etwa 200 °C (vorgeheizt)
Heißluft: etwa 180 °C
(nicht vorgeheizt)
Gas: etwa Stufe 3 (vorgeheizt)
Backzeit: 10–15 Min.

8 Den Knetteigboden sofort n dem Backen vom Springfor boden lösen, aber erst nach dem Erkalten auf eine Platte legen.

(Fortsetzung Sei

9 Für die Füllung Himbeergelee leicht erwärmen, Knetteigboden gleichmäßig damit bestreichen. Biskuitboden einmal waagerecht durchschneiden, den unteren Boden auf den Knetteigboden legen. Einen Tortenring um die Böden legen.

10 Gelatine in wenig kaltem Wasser einweichen. Eigelb und Zucker cremig schlagen, Champagner, Zitronenschale und -saft unterrühren. Gelatine ausdrücken, auflösen und unterrühren.

11 Wenn die Eigelbmasse beginnt dicklich zu werden, Eiweiß und Sahne getrennt steif schlagen und unter die Masse heben. Die Hälfte der Creme auf den Biskuit streichen, den zweiten Boden darauflegen, die restliche Creme daraufstreichen. 60 Minuten kalt stellen.

12 Sahne steif schlagen, Tortenoberfläche und -rand damit bestreichen. Kuvertüre in Spä-

ne schneiden, den Tortenrand da[…] bestreuen (einige Späne zurückla[…]sen). Baiser zerbröseln, auf der To[…] tenoberfläche verteilen, die restlic[…] Kuvertürespäne dazwischen streu[…]

13 Himbeeren verlesen (ni[…] waschen), TK-Himbeer[…] auf einem Sieb auftauen und abtr[…] fen lassen. Himbeeren auf der To[…] verteilen. Die Torte kurz vor dem Servieren mit Puderzucker bestre[…]

Sekt-Charlotte

**Zubereitungszeit: 45 Min.,
ohne Kühlzeit**

Insgesamt:
E: 54 g, F: 204 g, Kh: 342 g,
kJ: 15484, kcal: 3700

- **300 ml Schlagsahne**
- **300 g Hippenröllchen**
- **30 g Butter oder Margarine**
- **8 Blatt weiße Gelatine**
- **300 g Sahnejoghurt**
- **125 g Zucker**
- **1 Pck. Vanillin-Zucker**
- **250 ml (¼ l) Sekt**
- **1 Dose Mandarinen (Abtropfgewicht 175 g)**

- **100 ml Schlagsahne**
- **gehackte Pistazienkerne**
- **Marzipanküken**

1 Sahne steif schlagen und 6 Eßlöffel in einen Spritzbeutel mit Sterntülle füllen.

2 Einen Springformrand (Ø 22 cm) auf eine Platte setzen. 200 g Hippenröllchen auf Springformrandhöhe kürzen. Röllchenabschnitte und restliche Röllchen zerbröseln.

3 Butter oder Margarine auflösen, etwas abkühlen lassen und mit den Bröseln verkneten. Die Masse dünn auf die Platte im Springformrand drücken.

4 An den Rand einen Sahnering spritzen, die Röllchen hineinsetzen und etwa 30 Minuten kalt stellen.

5 Gelatine in wenig kaltem W[…] ser einweichen. Joghurt, Zuc[…] Vanillin-Zucker und Sekt verrühr[…] Gelatine ausdrücken, auflösen, u[…] die Joghurtmasse rühren und kal[…] stellen.

6 Mandarinen auf einem Sieb[…] tropfen lassen. Wenn die Ma[…] anfängt zu gelieren, restliche Sahn[…] und Mandarinen (8 Spalten zum Verzieren zurücklassen) unterheb[…] Die Masse in die Form füllen und[…] 3 Stunden kalt stellen. Springform[…] rand vorsichtig entfernen.

7 Sahne steif schlagen, in eine[…] Spritzbeutel füllen, die Char[…] te damit verzieren und mit Pistazi[…] zurückgelassenen Mandarinen un[…] Marzipanküken garnieren.

Waldmeistertorte

Zubereitungszeit: 70 Min.,
ohne Kühlzeit
Backzeit: etwa 30 Min.

Insgesamt:
E: 107 g, F: 342 g, Kh: 578 g,
kJ: 25709, kcal: 6142

Für den Biskuitteig:
- **6 Eier**
- **175 g Zucker**
- **1 TL abgeriebene Zitronen-schale (unbehandelt) oder 1 Beutel Feine Zitronen-schale**
- **150 g Weizenmehl**
- **1 gestr. TL Backpulver**
- **90 g zerlassene, abgekühlte Butter**

Für die Orangencreme:
- **6 Blatt weiße Gelatine**
- **100 g Zucker**
- **250 ml (¼ l) Orangensaft**
- **Saft von 1 Zitrone**
- **250 ml (¼ l) Schlagsahne**

Für den Belag:
- **1 Beutel aus 1 Pck. Götter-speise Waldmeister-Geschmack**
- **40 g Zucker**
- **250 ml (¼ l) Weißwein**
- **250 ml (¼ l) heller Traubensaft**
- **200 g Marzipan-Rohmasse**

- **250 ml (¼ l) Schlagsahne**
- **1 Pck. Vanillin-Zucker**

1 Für den Biskuitteig Eier mit Handrührgerät mit Rührbesen auf höchster Stufe in 1 Minute schaumig schlagen. Zucker mit Zitronenschale mischen, in 1 Minute einstreuen, dann noch etwa 2 Minuten schlagen.

2 Mehl und Backpulver mischen, die Hälfte davon auf die Eier-creme sieben und kurz auf niedrig-ster Stufe unterrühren. Den Rest des Mehlgemisches auf die gleiche Weise unterarbeiten. Die Butter vorsichtig unter den Teig ziehen.

3 Den Teig in eine Springform (Ø 28 cm, Boden gefettet, mit Backpapier belegt) füllen. Die Form sofort auf dem Rost in den Backofen schieben.

Ober-/Unterhitze:
etwa 180 °C (vorgeheizt)
Heißluft: –
Gas: Stufe 3–4 (nicht vorgeheizt)
Backzeit: etwa 30 Min.

4 Den Tortenboden aus der Form lösen, auf einen Kuchenrost stürzen, das Backpapier abziehen und den Boden erkalten lassen.

5 Für die Orangencreme Gelat[ine] in kaltem Wasser einweichen[.] Zucker, Orangen- und Zitronensa[ft] verrühren. Gelatine ausdrücken, a[uf]lösen und unterrühren. Wenn die Masse anfängt zu gelieren, Sahne steif schlagen und unterrühren.

6 Den Tortenboden einmal wa[a]gerecht durchschneiden, eine[n] Tortenring um den unteren Bode[n] stellen und die Orangencreme auf dem Boden verteilen. Den oberen Boden darauf legen und die Torte etwa 30 Minuten kalt stellen.

7 Für den Belag die Götterspei[se] mit Zucker nach Packungsau[f]schrift (aber mit Wein und Traube[n]saft) zubereiten, gut die Hälfte dav[on] zum Verzieren in eine flache, recht[-] eckige Schale gießen und beides fe[st] werden lassen.

8 Marzipan-Rohmasse verkne[ten] zu einem Kreis (Ø 28 cm) au[s]rollen und auf den oberen Biskuit[bo]den legen. Wenn die Götterspeise [fest] ist, die Hälfte auf dem Marzipan v[er]streichen. Die Götterspeise aus de[r] flachen Schale in Würfel schneide[n].

9 Sahne mit Vanillin-Zucker st[eif] schlagen, in einen Spritzbeu[tel] mit Sterntülle füllen. Tortenring e[nt]fernen, Oberfläche mit Sahne verz[ie]ren, mit Geleewürfeln garnieren.

Amaretto-Marzipan-Torte

Zubereitungszeit: 60 Min.
Backzeit: 60–65 Min.

Insgesamt:
E: 138 g, F: 613 g, Kh: 795 g,
kJ: 40592, kcal: 9699

Für den Knetteig:
- **100 g Weizenmehl**
- **25 g Zucker**
- **1 Pck. Vanillin-Zucker**
- **1 Prise Salz**
- **1 TL Amaretto**
- **65 g Butter oder Margarine**

Für den Rührteig:
- **200 g Butter oder Margarine**
- **150 g Marzipan-Rohmasse**
- **200 g Zucker**
- **1 Pck. Vanillin-Zucker**
- **5 Tropfen Bittermandel-Aroma**
- **4 Eier**
- **1 Eigelb**
- **200 g Weizenmehl**
- **1½ gestr. TL Backpulver**

Für die Makronen:
- **50 g Marzipan-Rohmasse**
- **50 g Zucker**
- **etwa ½ Eiweiß**

Für die Füllung:
- **4 EL Amaretto**
- **1 Pck. Sahnetorten Hilfe**
- **750 ml (³/₄ l) Schlagsahne**

- **100 g abgezogene, gemahlene, leicht geröstete Mandeln**

Zum Bestreichen:
- **2 EL Aprikosenkonfitüre**

1 Für den Knetteig Mehl in eine Rührschüssel sieben. Zucker, Vanillin-Zucker, Salz, Amaretto und Butter oder Margarine hinzufügen. Die Zutaten mit Handrührgerät mit Knethaken zunächst kurz auf niedrigster, dann auf höchster Stufe gut durcharbeiten.

2 Anschließend auf der bemeh[l]ten Arbeitsfläche zu einem g[lat]ten Teig verkneten, sollte er kleber[n] ihn eine Zeitlang kalt stellen. Den Teig auf einem gefetteten Springformboden (Ø 26 cm) ausrollen u[nd] mehrmals mit einer Gabel einstechen. Den Springformrand um de[n] Boden legen. Die Form auf dem R[ost] in den Backofen schieben.

Ober-/Unterhitze:
170–200 °C (vorgeheizt)
Heißluft:
150–180 °C (nicht vorgeheizt)
Gas: Stufe 3–4 (vorgeheizt)
Backzeit: etwa 15 Min.

Den Boden sofort nach dem
Backen vom Springformboden
n, aber erst nach dem Erkalten
eine Platte legen.

Für den Rührteig Butter oder
Margarine und Marzipan-Roh-
sse mit Handrührgerät mit Rühr-
en auf höchster Stufe geschmei-
rühren. Nach und nach Zucker,
illin-Zucker und Bittermandel-
ma unterrühren, so lange rühren,
eine gebundene Masse entstanden
Eier und Eigelb nach und nach
errühren (jedes Ei etwa $1/2$ Mi-
e).

5 Mehl mit Backpulver mischen,
sieben und portionsweise auf
mittlerer Stufe unterrühren. Den
Teig in eine Springform (Ø 26 cm,
Boden gefettet, mit Backpapier belegt) füllen und glattstreichen. Die
Form auf dem Rost in den Backofen
schieben.

Ober-/Unterhitze:
170–200 °C (vorgeheizt)
Heißluft:
150–180 °C (nicht vorgeheizt)
Gas: Stufe 3–4 (nicht vorgeheizt)
Backzeit: etwa 30 Min.

6 Den Boden aus der Form lösen,
auf einen mit Backpapier belegten Kuchenrost stürzen, Backpapier
abziehen, Boden erkalten lassen. Den
erkalteten Boden zweimal waagerecht durchschneiden.

7 Für die Makronen Marzipan-
Rohmasse und Zucker in einer
Schüssel zu einer einheitlichen Masse
verarbeiten. Soviel Eiweiß unterarbeiten, daß eine spritzfähig Masse
entsteht. Aus der Marzipanmasse mit
Hilfe eines Spritzbeutels mit kleiner
Lochtülle kleine Punkte (Ø 1 cm) auf
ein mit Backpapier belegtes Backblech spritzen. Das Backblech in den
Backofen schieben.

Ober-/Unterhitze:
130–150 °C (vorgeheizt)
Heißluft:
120–140 °C (nicht vorgeheizt)
Gas: Stufe 1–2 (nicht vorgeheizt)
Backzeit: 15–20 Min.

8 Die Makronen vom Backpapier
lösen und erkalten lassen.

9 Für die Füllung Amaretto mit
Wasser auf 200 ml auffüllen.
Sahnetorten Hilfe nach Packungsaufschrift mit Amarettowasser und Sahne zubereiten. 75 g Mandeln unter
die Hälfte der Sahnemasse rühren.

10 Den Knetteigboden mit
Konfitüre bestreichen, den
unteren Rührteigboden darauflegen,
mit 3 Eßlöffeln der Mandel-Sahne-
Masse bestreichen, mit dem mittleren Boden bedecken, ebenfalls mit
3 Eßlöffeln Mandel-Sahne-Masse
bestreichen und mit dem oberen
Boden bedecken.

11 Tortenoberfläche und -rand
mit der restlichen Sahne-
masse bestreichen und verzieren. Die
Torte mit den restlichen Mandeln
und den Makronen garnieren.

■ **Tip:**
Anstelle der selbstgebackenen Makronen können sie auch gekaufte Makronen oder Amarettini verwenden.

Cappuccino-Kirsch-Torte

Zubereitungszeit: 50 Min.
Backzeit: etwa 25 Min.

Insgesamt:
E: 126 g, F: 192 g, Kh: 546 g,
kJ: 19538, kcal: 4665

Für den Rührteig:
- **125 g weiche Butter oder Margarine**
- **100 g Zucker**
- **1 Pck. Vanillin-Zucker**
- **1 Prise Salz**
- **2 Eier**
- **200 g Weizenmehl**
- **50 g Speisestärke**
- **2 gestr. TL Backpulver**
- **20 g Kakaopulver**
- **4 EL Milch**

- **3 EL Mandellikör**

Für das Kompott:
- **500 g Süßkirschen**
- **250 ml (¼ l) Kirschsaft**
- **25 g Speisestärke**
- **2 EL Zucker**
- **½ Zimtstange**
- **Schale von 1 Zitrone (unbehandelt)**

Für die Quarkcreme:
- **4 Blatt weiße Gelatine**
- **500 g Magerquark**
- **60 g Zucker**
- **2 Pck. Vanillin-Zucker**
- **200 ml Schlagsahne**

- **2 Portionsbeutel (5 EL) Instant-Cappuccino-Pulver**

- **Kakaopulver**

1 Für den Rührteig Butter oder Margarine mit Handrührgerät mit Rührbesen auf höchster Stufe geschmeidig rühren. Nach und nach Zucker, Vanillin-Zucker und Salz unterrühren, so lange rühren, bis eine gebundene Masse entstanden ist. Eier nach und nach unterrühren (jedes Ei etwa ½ Minute).

2 Mehl mit Speisestärke, Backpulver und Kakao mischen, sieben und abwechselnd portionsweise mit Milch auf mittlerer Stufe unterrühren. Den Teig in eine Springform (Ø 26 oder 28 cm, Boden gefettet, mit Backpapier belegt) füllen und glattstreichen. Die Form auf dem Rost in den Backofen schieben.

Ober-/Unterhitze:
etwa 180 °C (vorgeheizt)
Heißluft: etwa 160 °C
(nicht vorgeheizt)
Gas: Stufe 2–3 (nicht vorgeheizt)
Backzeit: etwa 25 Min.

3 Den Boden aus der Form lösen und auf einem Kuchenrost erkalten lassen. Um den erkalteten Tortenboden einen Tortenring legen und mit Mandellikör beträufeln.

4 Für das Kompott Kirschen waschen, entstielen und entsteinen. Speisestärke mit 4 Eßlöffeln dem Kirschsaft anrühren. Den restlichen Saft mit Zucker, Zimtstange und Zitronenschale aufkochen. Speisestärke einrühren und nochmals aufkochen lassen. Zimtstange und Zitronenschale entfernen. Die Kirschen unterrühren, kurz erhitzen. Die Masse auf dem Tortenboden verteilen und abkühlen lassen.

5 Für die Quarkcreme Gelatine in wenig kaltem Wasser einweichen. Quark, Zucker und Vanillin-Zucker glattrühren. Gelatine ausdrücken, auflösen und unter den Quark rühren.

6 Sahne mit Cappuccino-Pulver verrühren, steif schlagen und unter die Quarkmasse heben. Die Masse auf das erkaltete Kompott streichen und die Torte kalt stellen. Die Torte vor dem Servieren dick mit Kakao bestäuben.

- **Tip:**

Anstelle des selbst hergestellten Kompotts können Sie auch 1 Glas Kirschen mit Saft (Füllmenge 680 g) mit 25 g Speisestärke binden und mit etwas gemahlenem Zimt abschmecken.

Mandeltorte Venezia

Zubereitungszeit: 40 Min.
Backzeit: etwa 35 Min.

Insgesamt:
E: 133 g, F: 398 g, Kh: 486 g,
kJ: 26556, kcal: 6346

Für den Rührteig:
- **150 g weiche Butter oder Margarine**
- **150 g Zucker**
- **4 Eier**
- **150 g Weizenmehl**
- **2 gestr. TL Backpulver**
- **1 Pck. Pudding-Pulver Vanille-Geschmack**
- **125 ml (¹/₈ l) Milch**
- **200 g abgezogene, gemahlene Mandeln**

Für die Füllung:
- **5 Blatt weiße Gelatine**
- **3 Eier**
- **75 g Zucker**
- **2 Pck. Vanillin-Zucker**
- **50 ml Amaretto**
- **250–400 ml Schlagsahne**

Zum Garnieren:
- **125 g Vollmilch-Waffelblättchen**

1 Für den Rührteig Butter oder Margarine mit Handrührgerät mit Rührbesen auf höchster Stufe geschmeidig rühren. Nach und nach Zucker unterrühren, so lange rühren, bis eine gebundene Masse entstanden ist. Eier nach und nach unterrühren (jedes Ei etwa ¹/₂ Minute).

2 Mehl mit Backpulver mischen, sieben und portionsweise auf mittlerer Stufe unterrühren. Pudding-Pulver mit der Milch anrühren und unter den Teig rühren. Die Mandeln unterrühren.

3 Einen Backrand (25 x 25 cm) auf ein mit Backpapier belegtes Backblech stellen. Den Teig einfüllen und glattstreichen. Das Backblech in den Backofen schieben.

Ober-/Unterhitze:
etwa 180 °C (vorgeheizt)
Heißluft: etwa 160 °C
(nicht vorgeheizt)
Gas: Stufe 2–3 (nicht vorgeheizt)
Backzeit: etwa 35 Min.

4 Den Tortenboden aus dem Backrand lösen, das Backpa[pier] abziehen und das Gebäck auf ein[e] Kuchenrost erkalten lassen.

5 Für die Füllung die Gelatine wenig kaltem Wasser einwei[-] chen. Eier schaumig schlagen und Zucker und Vanillin-Zucker so la[nge] unterrühren, bis sich der Zucker gelöst hat. Amaretto unterrühren.

6 Die Gelatine ausdrücken, au[flö-] sen und unter die Amaretto- masse rühren. Wenn die Masse an[-] fängt zu gelieren, Sahne steif schla[gen] und unterheben.

7 Den Tortenboden einmal wa[a-] gerecht durchschneiden. ¹/₃ d[er] Creme auf den unteren Boden str[ei-] chen, den oberen Boden draufleg[en] und mit der restlichen Creme be- streichen.

8 Die Waffelblättchen im Scha[ch-] brettmuster auf die Torten- oberfläche legen.

■ **Tip:**
Für die Füllung nur absolut frische E[ier] verwenden.

Rauhreif-Torte

Zubereitungszeit: 60 Min.,
ohne Kühlzeit
Backzeit: etwa 25 Min.

Insgesamt:
E: 75 g, F: 360 g, Kh: 373 g,
kJ: 22656, kcal: 5414

Für den Biskuitteig:

- [ ] **2 Eier**
- [ ] **2 EL heißes Wasser**
- [ ] **100 g Zucker**
- [ ] **1 Pck. Vanillin-Zucker**
- [ ] **100 g Weizenmehl**
- [ ] **25 g Speisestärke**
- [ ] **1 gestr. TL Backpulver**
- [ ] **10 g Kakaopulver**
- [ ] **15 g Kokosraspel**

Für die Füllung:

- [ ] **1 Pck. Gelatine gemahlen, weiß**
- [ ] **4 EL kaltes Wasser**
- [ ] **3 Eigelb**
- [ ] **50 g Zucker**
- [ ] **7 EL Rum**
- [ ] **100 g Butter**
- [ ] **600 ml Schlagsahne**
- [ ] **17 Löffelbiskuits**

Zum Garnieren:

- [ ] **4 Löffelbiskuits**
- [ ] **70 g Kokosraspel**
- [ ] **30 g gesiebter Puderzucker**
- [ ] **30 g Löffelbiskuits**

1 Für den Biskuitteig Eier und Wasser mit Handrührgerät mit Rührbesen auf höchster Stufe in 1 Minute schaumig schlagen. Zucker mit Vanillin-Zucker mischen, in 1 Minute einstreuen, dann noch etwa 2 Minuten schlagen.

2 Mehl, Speisestärke, Backpulver und Kakao mischen, die Hälfte davon auf die Eiercreme sieben und kurz auf niedrigster Stufe unterrühren. Den Rest des Mehlgemisches auf die gleiche Weise unterarbeiten. Kokosraspel unterheben.

3 Den Teig in eine Springform (Ø 26 cm, Boden gefettet, mit Backpapier belegt) füllen und die Form auf dem Rost in den Backofen schieben.

Ober-/Unterhitze:
etwa 180 °C (vorgeheizt)
Heißluft: –
Gas: etwa Stufe 3 (nicht vorgeheizt)
Backzeit: etwa 25 Min.

4 Den Boden aus der Form lös auf einen Kuchenrost stürze das Backpapier abziehen und den Boden erkalten lassen. Ihn einmal waagerecht durchschneiden.

Für die Füllung Gelatine mit Wasser in einem kleinen Topf rühren und 10 Minuten zum quellen stehen lassen.

6 Eigelb und Zucker mit Handrührgerät mit Rührbesen etwa 3 Minuten schaumig rühren. 5 Eßlöffel Rum unterrühren. Butter geschmeidig rühren und die Eigelbmasse unterrühren. Gelatine unter Rühren erwärmen, bis sie gelöst ist und unter die Eigelbmasse rühren.

7 Sahne steif schlagen. 2 Eßlöffel zum Verzieren davon abnehmen, die restliche Sahne unter die Eigelbmasse heben.

8 Den unteren Biskuitboden auf eine Tortenplatte legen, einen Tortenring darumstellen. Die Hälfte der Creme einfüllen, glattstreichen und mit den Löffelbiskuits belegen. Die Löffelbiskuits mit dem restlichen Rum tränken, die restliche Creme darauf verteilen und mit dem oberen Boden bedecken. Die Torte etwa 6 Stunden kalt stellen. Den Tortenring mit Hilfe eines Messers lösen.

9 Löffelbiskuits zerbröseln, mit Kokosraspeln und zurückgelassener Sahne verkneten, Schneemann und Schneebälle formen, in Kokosraspeln und Puderzucker wälzen.

10 Tortenoberfläche mit Kokosraspeln und Puderzucker bestreuen, den Rand mit Löffelbiskuits garnieren. Torte mit Schneemann und Schneebällen garnieren.

■ Tip:
Für die Füllung nur absolut frische Eier verwenden.

Apfel-Wein-Torte

Zubereitungszeit: 45 Min.,
ohne Kühlzeit
Backzeit: 50–60 Min.

Insgesamt:
E: 49 g, F: 210 g, Kh: 552 g,
kJ: 19506, kcal: 4658

Für den Knetteig:
- **225 g Weizenmehl**
- **1 gestr. TL Backpulver**
- **75 g Zucker**
- **1 Pck. Vanillin-Zucker**
- **1 Prise Salz**
- **1 Ei**
- **75 g weiche Butter**

Für die Füllung:
- **1 kg Äpfel**
- **2 Pck. Pudding-Pulver Vanille-Geschmack**
- **100 g Zucker**
- **2 Pck. Vanillin-Zucker**
- **375 ml (³/₈ l) Weißwein**
- **375 ml (³/₈ l) klarer Apfelsaft**

Zum Verzieren und Garnieren:
- **400 ml Schlagsahne**
- **2 Pck. Sahnesteif**
- **2 Pck. Vanillin-Zucker**
- **gehackte Pistazienkerne**

1 Für den Knetteig Mehl und Backpulver mischen und in eine Rührschüssel sieben. Zucker, Vanillin-Zucker, Salz, Ei und Butter hinzufügen. Die Zutaten mit Handrührgerät mit Knethaken zunächst kurz auf niedrigster, dann auf höchster Stufe gut durcharbeiten.

2 Anschließend auf der bemehlten Arbeitsfläche zu einem glatten Teig verkneten und etwa 1 Stunde kalt stellen.

3 Zwei Drittel des Teiges auf einem gefetteten Springformboden (Ø 26 cm) ausrollen. Den restlichen Teig zu einer Rolle formen, als Rand auf den Boden legen und so an die Form drücken, daß ein 3 cm hoher Rand entsteht.

4 Für die Füllung Äpfel schälen, vierteln, entkernen und in Würfel schneiden. Aus Pudding-Pulver, Zucker, Vanillin-Zucker, Wein und Apfelsaft nach Packungsaufschrift einen Pudding zubereiten. Die Apfelwürfel sofort unterrühren und die Masse auf den Teig geben. Die Form auf dem Rost in den Backofen schieben.

Ober-/Unterhitze: etwa 170 °C (vorgeheizt)
Heißluft: etwa 150 °C (nicht vorgeheizt)
Gas: etwa Stufe 3 (nicht vorgehe[izt])
Backzeit: 50–60 Min.

5 Die Torte in der Form auf ei[nem] Kuchenrost stellen, etwa 15 [Mi]nuten abkühlen lassen, den Spring[-] formrand lösen und abnehmen. D[en] Kuchen 3–4 Stunden kalt stellen.

6 Sahne mit Sahnesteif und Va[-] nillin-Zucker steif schlagen, [in] einen Spritzbeutel mit gezackter T[ül]le füllen und den Tortenrand dam[it] verzieren. Torte mit Pistazienkern[en] garnieren.

- **Abwandlung:**
Den Pudding anstelle der Weißwei[n-] Apfelsaft-Mischung mit 750 ml (³/4 [l]) Apfelsaft kochen.

Batida-de-Coco-Torte

Zubereitungszeit: 60 Min.
Backzeit: etwa 40 Min.

Insgesamt:
E: 72 g, F: 321 g, Kh: 577 g,
kJ: 23960, kcal: 5727

Für den Biskuitteig:
- **3 Eier**
- **3 EL heißes Wasser**
- **150 g Zucker**
- **1 Pck. Vanillin-Zucker**
- **100 g Weizenmehl**
- **30 g Speisestärke**
- **1 Msp. Backpulver**

Für den Knetteig:
- **100 g Weizenmehl**
- **50 g Zucker**
- **1 Prise Salz**
- **70 g Butter**

- **2 EL Aprikosenkonfitüre**

Für die Füllung:
- **250 ml (¹/₄ l) Schlagsahne**
- **¹/₂ Dose (100 g) Kokos-nußcreme**
- **4 EL Batida de Coco**
- **2 große Bananen**

Zum Bestreichen:
- **250 ml (¹/₄ l) Schlagsahne**
- **1 Pck. Sahnesteif**
- **1 EL Zucker**

Zum Garnieren:
- **100 g Kokosraspel**
- **Borkenschokolade**
- **1 Kiwi**
- **blaue Zuckerstreusel**

1 Für den Biskuitteig Eier und Wasser mit Handrührgerät mit Rührbesen auf höchster Stufe in 1 Minute schaumig schlagen. Zucker mit Vanillin-Zucker mischen, in 1 Minute einstreuen, dann noch etwa 2 Minuten schlagen.

2 Mehl, Speisestärke und Backpulver mischen, die Hälfte davon auf die Eiercreme sieben und kurz auf niedrigster Stufe unterrühren. Den Rest des Mehlgemisches auf die gleiche Weise unterarbeiten.

3 Den Teig in eine Springform (Ø 26 cm, Boden gefettet, mit Backpapier belegt) füllen. Die Form sofort auf dem Rost in den Backofen schieben.

Ober-/Unterhitze:
etwa 180 °C (vorgeheizt)
Heißluft: –
Gas: Stufe 2–3 (nicht vorgeheizt)
Backzeit: etwa 30 Min.

4 Den Boden aus der Form lösen, auf einen Kuchenrost stürzen, das Backpapier entfernen und den Boden erkalten lassen. Ihn dann e[...] mal waagerecht durchschneiden.

5 Für den Knetteig Mehl in ein[...] Rührschüssel sieben. Zucker, [...] Salz und Butter hinzufügen. Die Z[...] taten mit Handrührgerät mit Kne[...] haken zunächst kurz auf niedrigst[...] dann auf höchster Stufe gut durch[...] beiten.

6 Anschließend auf der bemeh[...] ten Arbeitsfläche zu einem g[...] ten Teig verkneten, sollte er kleben [...] ihn eine Zeitlang kalt stellen. Den Teig auf einem gefetteten Spring-formboden (Ø 26 cm) ausrollen u[...] mehrmals mit einer Gabel einste-chen. Den Springformrand um de[...] Boden legen. Die Form auf dem R[...] in den Backofen schieben.

Ober-/Unterhitze:
etwa 220 °C (vorgeheizt)
Heißluft:
etwa 200 °C (nicht vorgeheizt)
Gas: Stufe 3–4 (vorgeheizt)
Backzeit: etwa 10 Min.

7 Den Boden aus der Form lös[...] auf einem Kuchenrost erkalt[...] lassen. Mit Konfitüre bestreichen.

8 Für die Füllung die Sahne ste[...] schlagen. Kokosnußcreme gu[...] durchrühren und unter die Sahne [...]

(Fortsetzung Seite[...])

rühren. Den unteren Biskuitboden auf den Knetteigboden legen, mit 2 Eßlöffeln Batida de Coco tränken und mit der Hälfte der Kokos-Sahne-Masse bestreichen.

9 Bananen schälen, in Scheiben schneiden, auf der Sahnemasse

verteilen, restliche Sahnemasse darauf streichen. Den oberen Biskuitboden darauflegen, mit dem restlichen Batida de Coco tränken.

10 Sahne mit Sahnesteif und Zucker steif schlagen, Tortenoberfläche und -rand bestreichen.

11 Kokosraspeln in einer Pfanne ohne Fett leicht bräune
Torte wie eine Insel dekorieren: die Insel besteht aus Kokosraspeln, Pal men aus Borkenschokolade und ge schnitten Kiwis, Wasser aus blau Zuckerstreusel. Tortenrand mit d restlichen Kokosraspeln bestreuen.

Eierlikörtorte

Zubereitungszeit: 40 Min.
Backzeit: etwa 60 Min.

Insgesamt:
E: 98 g, F: 400 g, Kh: 242 g,
kJ: 22732, kcal: 5432

Für den Rührteig:
- **80 g weiche Butter oder Margarine**
- **80 g Zucker**
- **1 Pck. Vanillin-Zucker**
- **4 Eigelb**
- **200 g abgezogene, gemahlene Mandeln**
- **1 TL Backpulver**
- **100 g geraspelte Mokka- oder Zartbitterschokolade**
- **2 EL Eierlikör**
- **4 Eiweiß**

Für den Belag:
- **500 ml (1/2 l) Schlagsahne**
- **2 Pck. Sahnesteif**
- **1 Pck. Vanillin-Zucker**
- **125 ml (1/8 l) Eierlikör**
- **geraspelte Schokolade**

1 Für den Rührteig Butter oder Margarine mit Handrührgerät mit Rührbesen auf höchster Stufe geschmeidig rühren. Nach und nach Zucker und Vanillin-Zucker unterrühren, so lange rühren, bis eine gebundene Masse entstanden ist. Eigelb nach und nach unterrühren (jedes Eigelb etwa 1/2 Minute).

2 Mandeln mit Backpulver und Schokolade mischen und abwechselnd portionsweise auf mittlerer Stufe mit Eierlikör unterrühren. Eiweiß steif schlagen und vorsichtig unterziehen.

3 Den Teig in eine Springform (Ø 26 cm, Boden gefettet, mit Backpapier belegt) füllen. Die Form auf dem Rost in den Backofen schieben.

Ober-/Unterhitze:
etwa 180 °C (vorgeheizt)
Heißluft: etwa 160 °C
(nicht vorgeheizt)

Gas: Stufe 2–3 (nicht vorgeheizt)
Backzeit: etwa 60 Min.

4 Den Boden aus der Form lös und auf einem Kuchenrost e kalten lassen.

5 Für den Belag Sahne mit Sah nesteif und Vanillin-Zucker steif schlagen. 2/3 davon auf den Bo den geben und glattstreichen, die restliche Sahne in einen Spritzbeut mit Sterntülle füllen und Sahnetuf auf den Rand der Tortenoberfläch spritzen.

6 Den Eierlikör auf die Torten mitte geben und vorsichtig v teilen. Die Torte mit geraspelter Schokolade bestreuen.

- **Tip:**
Der Kuchen wird saftiger, wenn Sie 5–6 Eßlöffel Preiselbeeren (aus den Glas) auf den Tortenboden streichen

Baileys-Torte

Zubereitungszeit: 45 Min.
Backzeit: etwa 35 Min.

Insgesamt:
E: 96 g, F: 354 g, Kh: 400 g,
kJ: 24023 , kcal: 5739

Für den Biskuitteig:
- **4 Eier**
- **150 g Zucker**
- **1 Pck. Vanillin-Zucker**
- **100 g Weizenmehl**
- **1 gestr. TL Backpulver**
- **150 g gemahlene Haselnußkerne**
- **50 g geriebene Zartbitterschokolade**

Für die Füllung:
- **1 Pck. Gelatine gemahlen, weiß**
- **4 EL kaltes Wasser**
- **200 ml Baileys (Whisky Likör)**
- **600 ml Schlagsahne**
- **20 g Zucker**
- **1 Pck. Vanillin-Zucker**

- **50–75 ml Baileys**
- **50 g gehackte, geröstete Haselnußkerne**

1 Für den Biskuitteig Eier mit Handrührgerät mit Rührbesen auf höchster Stufe in 1 Minute schaumig schlagen. Zucker mit Vanillin-Zucker mischen, in 1 Minute einstreuen, dann noch etwa 2 Minuten schlagen.

2 Mehl und Backpulver mischen, die Hälfte davon auf die Eiercreme sieben und kurz auf niedrigster Stufe unterrühren. Den Rest des Mehlgemisches auf die gleiche Weise unterarbeiten. Nüsse und Schokolade unterheben.

3 Den Teig in eine Springform (Ø 26 cm, Boden gefettet, mit Backpapier belegt) füllen. Die Form sofort auf dem Rost in den Backofen schieben.

Ober-/Unterhitze:
etwa 180 °C (vorgeheizt)
Heißluft: –
Gas: Stufe 2–3 (nicht vorgeheizt)
Backzeit: etwa 35 Min.

4 Den Boden aus der Form lös[en] auf einen Kuchenrost stürze[n] das Backpapier abziehen und den Boden erkalten lassen. Ihn dann zweimal waagerecht durchschneid[en]

5 Für die Füllung Gelatine mit Wasser in einem kleinen Top[f] anrühren und 10 Minuten zum Quellen stehen lassen. Unter Rühr[en] erwärmen, bis sie gelöst ist und m[it] dem Likör verrühren.

6 Sahne mit Zucker und Vanill[in-] Zucker steif schlagen und un[ter] die Gelatinemischung heben. 1/3 d[er] Creme auf den unteren Boden str[ei]chen und mit dem mittleren Bode[n] bedecken. Diesen mit Likör tränke[n] mit 1/3 der Creme bestreichen und mit dem oberen Boden bedecken.

7 Tortenrand und -oberfläche mit der restlichen Creme bestreichen. Den Tortenrand mit Nü[s]sen bestreuen und die Oberfläche damit garnieren.

Fruchtiges Gebirge

Zubereitungszeit: 35 Min.
Backzeit: 20–30 Min.

Insgesamt:
E: 75 g, F: 310 g, Kh: 353 g,
kJ: 19919, kcal: 4760

Für den Brandteig:
- **250 ml (¼ l) Wasser**
- **50 g Butter oder Margarine**
- **150 g Weizenmehl**
- **30 g Speisestärke**
- **5–6 Eier**
- **2 Msp. Backpulver**

Für den Belag:
- **1 Glas Sauerkirschen (Abtropfgewicht 370 g)**
- **250 ml (¼ l) Sauer-kirschsaft**
- **60 g Speisestärke**
- **2 EL Kirschwasser**
- **30 g Zucker**
- **750 ml (¾ l) Schlagsahne**
- **3 Pck. Sahnesteif**
- **2 Pck. Bourbon Vanille-Zucker**
- **etwa 30 g Zucker**

Zum Bestäuben:
- **1 TL Kakaopulver**

1 Für den Brandteig Wasser und Butter oder Margarine am besten in einem Stieltopf zum Kochen bringen.

2 Mehl und Speisestärke mischen, sieben, auf einmal in die von der Kochstelle genommene Flüssigkeit schütten, zu einem glatten Kloß rühren und unter Rühren etwa 1 Minute erhitzen.

3 Den heißen Kloß sofort in eine Schüssel geben, nach und nach die Eier mit Handrührgerät mit Knethaken auf höchster Stufe unterarbeiten. Eine weitere Eizugabe erübrigt sich, wenn der Teig stark glänzt und so von einem Löffel abreißt, daß lange Spitzen hängenbleiben.

4 Backpulver in den erkalteten Teig arbeiten. Den Teig auf ein gefettetes, mit Mehl bestäubtes Backblech streichen. Das Backblech in den Backofen schieben.

Ober-/Unterhitze:
etwa 220 °C (vorgeheizt)
Heißluft: etwa 180 °C
(nicht vorgeheizt)
Gas: etwa Stufe 4 (nicht vorgeheizt)
Backzeit: 20–30 Min.

5 Das Gebäck sofort nach dem Backen vom Backblech lösen und auf einem Kuchenrost erkalten lassen.

6 Für den Belag Sauerkirschen auf einem Sieb abtropfen lassen, den Saft dabei auffangen und 250 ml (¼ l) abmessen. Den Saft in einem Topf zum Kochen bringen, mit der mit etwas von dem Saft angerührten Speisestärke binden. Kirschen hineingeben und erhitzen. Kirschwasser unterrühren, die Kirschmasse mit Zucker abschmecken und etwa 30 Minuten kalt stellen.

7 Sahne mit Sahnesteif, Bourbon Vanille-Zucker und Zucker steif schlagen, in „Häufchen" auf dem Brandteigboden verteilen und mit einem Messer etwas glätten. Die Sauerkirschmasse in die Zwischenräume verteilen. Die Sahne mit Kakao bestäuben.

■ **Tip:**

Dieses fruchtige Brandteiggebirge ist eine „Blechvariante" der traditionellen Windbeutel.

Creme-Nougat-Torte

Zubereitungszeit: 45 Min.,
ohne Kühlzeit
Backzeit: 40–60 Min.

Insgesamt:
E: 113 g, F: 552 g, Kh: 455 g,
kJ: 31790, kcal: 7597

Für den Biskuitteig:
- ■ **4 Eigelb**
- ■ **200 g erwärmtes Nuß-Nougat**
- ■ **1 Pck. Vanillin-Zucker**
- ■ **5 Tropfen Butter-Vanille-Aroma**
- ■ **4 Eiweiß**
- ■ **80 g Weizenmehl**
- ■ **1 gestr. TL Backpulver**
- ■ **80 g gemahlene Haselnußkerne**
- ■ **80 g Löffelbiskuits**
- ■ **150 ml Schlagsahne**

Für die Füllung:
- ■ **150 ml Schlagsahne**
- ■ **300 g weiße Kuvertüre**
- ■ **250 g weiche Butter**
- ■ **4 EL Himbeergeist**
- ■ **4 EL Wildpreiselbeer-Dessert (aus dem Glas)**

- ■ **aufgelöste, geschabte Kuvertüre**

1 Für den Biskuitteig Eigelb, Nuß-Nougat, Vanillin-Zucker und Butter-Vanille-Aroma mit Handrührgerät mit Rührbesen auf höchster Stufe cremig rühren. Eiweiß steif schlagen und unterheben.

2 Mehl und Backpulver mischen, sieben und zusammen mit Haselnüssen und fein zerbröselten Löffelbiskuits auf niedrigster Stufe unterrühren. Sahne steif schlagen und unterheben.

3 Aus dem Teig 4 Böden backe Dazu jeweils ¼ des Teiges in eine Springform (Ø 26 cm, Boden gefettet, mit Backpapier belegt) fü len und glattstreichen. Die Form s fort auf dem Rost in den Backofer schieben.

er-/Unterhitze:
va 180 °C (vorgeheizt)
ißluft: –
s: Stufe 3–4 (vorgeheizt)
ckzeit: 10–15 Min. pro Boden.

4 Die Böden stürzen, das Backpapier abziehen und die Böden einzeln auf einem Kuchenrost erkalten lassen.

5 Für die Füllung Sahne zum Kochen bringen. Kuvertüre hacken und in der von der Kochstelle genommenen Sahne unter Rühren auflösen. Die Masse in eine Rührschlüssel geben, mit Klarsichtfolie zudecken und erkalten lassen (am besten über Nacht).

6 Die Masse mit Handrührgerät mit Rührbesen etwa 3 Minuten aufschlagen. Nach und nach Butter unterrühren. Mit Himbeergeist abschmecken.

7 Einen der Böden mit Wildpreiselbeer-Dessert bestreichen und mit dem zweiten Boden belegen. Diesen mit 4 Eßlöffeln der Creme bestreichen, mit dem dritten Boden belegen, wieder bestreichen und mit dem vierten Boden belegen.

8 Tortenoberfläche und -rand ebenfalls mit Creme bestreichen. Den Tortenrand mit Hilfe eines Tortenkammes verzieren. Die Torte mit geschabter Kuvertüre garnieren.

■ **Tips:**
Die Torte kann schon 2–3 Tage vor dem Verzehr zubereitet werden. Vor dem Servieren einige Zeit bei Zimmertemperatur stehen lassen. Anstelle der geschabten Kuvertüre Borkenschokolade auf der Oberfläche verteilen (sieht besonders gut aus, wenn man Vollmilch- und Zartbitterborke zusammen verwendet)

Bounty-Torte

Zubereitungszeit: 40 Min.
Backzeit: 40–45 Min.

Insgesamt:
E: 86 g, F: 438 g, Kh: 686 g,
kJ: 30573, kcal: 7322

Für den Rührteig:
- **175 g weiche Butter oder Margarine**
- **150 g Zucker**
- **1 Pck. Vanillin-Zucker**
- **3 Eier**
- **300 g Weizenmehl**
- **2 TL Backpulver**
- **20–25 Riegel Bounty**

Zum Tränken:
- **4 EL Eierlikör**

Für die Verzierung:
- **400–500 ml Schlagsahne**
- **3 Pck. Sahnesteif**
- **4 EL Zucker**
- **2 Pck. Vanillin-Zucker**
- **250 g Schmand**

- **etwa 5 Riegel Bounty**

1 Für den Rührteig Butter oder Margarine mit Handrührgerät mit Rührbesen auf höchster Stufe geschmeidig rühren. Nach und nach Zucker und Vanillin-Zucker unterrühren, so lange rühren, bis eine gebundene Masse entstanden ist. Eier nach und nach unterrühren (jedes Ei etwa ½ Minute).

2 Mehl mit Backpulver mischen, sieben und portionsweise auf mittlerer Stufe unterrühren. ⅔ des Teiges in eine Springform (Ø 28 cm, Boden gefettet) füllen. Die Bounty-Riegel kranzförmig auf dem Teig verteilen und den Rest des Teiges darauf geben. Die Form auf dem Rost in den Backofen schieben.

Ober-/Unterhitze:
etwa 180 °C (vorgeheizt)
Heißluft: etwa 160 °C
(nicht vorgeheizt)
Gas: Stufe 3–4 (nicht vorgeheizt)
Backzeit: 40–45 Min.

3 Den Springformrand lösen u das Gebäck auf einem Kuche rost erkalten lassen. Das kalte Geb mit Eierlikör tränken.

4 Für die Verzierung die Sahne mit Sahnesteif, Zucker und Vanillin-Zucker steif schlagen. De Schmand unterrühren und die Ma se in einen Spritzbeutel füllen. Die Tortenoberfläche damit verzieren und die Torte einige Zeit kalt stelle

5 Die Torte vor dem Servieren mit geschnittenen Bounty-Riegeln garnieren.

■ **Tip:**
Sie können auch Tortenoberfläche und -rand mit einem Teil der Sahne Schmand-Masse bestreichen und di Oberfläche mit der restlichen Masse und den Bountys verzieren.

■ **Abwandlung:**
Anstelle des Eierlikörs Batida de Coco oder weißen Rum verwenden.

Birnen-Cappuccino-Torte

Zubereitungszeit: 45 Min.,
ohne Kühlzeit
Backzeit: etwa 15 Min.

Insgesamt:
E: 58 g, F: 169 g, Kh: 481 g,
kJ: 16222, kcal: 3876

Für den Knetteig:
- **250 g Weizenmehl**
- **60 g Zucker**
- **125 g Butter oder Margarine**
- **1 Ei**

Für den Belag:
- **600 g Birnen**
- **3 EL Zitronensaft**
- **125 ml (¹/₈ l) Weißwein**
- **125 ml (¹/₈ l) Wasser**
- **40 g Zucker**

Für den Guß:
- **1 Pck. Tortenguß, klar**
- **25 g Zucker**
- **250 ml (¹/₄ l) Birnenkochflüssigkeit**

Für die Creme:
- **1 Pck. Dr. Oetker Mousse au Cappuccino**
- **200 ml Milch**
- **100 ml Schlagsahne**

Zum Garnieren:
- **6 Babybirnen (aus dem Glas)**
- **30 g geraspelte Schokolade**
- **Schokoladenblätter**

1 Für den Knetteig Mehl in eine Rührschüssel sieben. Zucker, Butter oder Margarine und Ei hinzufügen. Die Zutaten mit Handrührgerät mit Knethaken zunächst kurz auf niedrigster, dann auf höchster Stufe gut durcharbeiten. Anschließend auf der Arbeitsfläche zu einem glatten Teig verkneten. Den Teig in Frischhaltefolie gewickelt etwa 60 Minuten kalt stellen.

2 Den Teig auf einer bemehlten Arbeitsfläche zu einem Kreis (Ø etwa 28 cm) ausrollen, in eine gefettete Tarteform mit gewelltem Rand (Ø 24 cm) legen und mehrmals mit einer Gabel einstechen. Die Form auf dem Rost in den Backofen schieben.

Ober-/Unterhitze:
etwa 200 °C (vorgeheizt)
Heißluft:
etwa 180 °C (nicht vorgeheizt)
Gas: etwa Stufe 3 (vorgeheizt)
Backzeit: etwa 15 Min.

3 Den Boden in der Form erkalten lassen.

4 Für den Belag Birnen schäle vierteln, entkernen, längs in Spalten schneiden und mit dem Zitronensaft beträufeln.

5 Wein, Wasser und Zucker au kochen und die Birnen darin bei mittlerer Hitze etwa 5 Minute ziehen lassen. Die Birnen herausn men, abtropfen lassen und auf de Tortenboden legen.

6 Für den Guß aus Tortenguß Zucker und Birnenkochflüss keit (evtl. mit Wasser auf 250 ml a füllen) nach Packungsaufschrift einen Guß bereiten und über die nen geben. Die Torte 30 Minuten kalt stellen.

7 Für die Creme CappuccinoMousse mit Milch und Sahn nach Packungsaufschrift zubereite und auf die Birnen streichen. Die Torte etwa 30 Minuten kalt stellen

8 Die Torte mit Babybirnen, Schokolade und Schokolade blättern garniert servieren.

- **Tip:**

Statt der frischen Birnen können Sie auch eine große Dose (Einwaage 460 g) abgetropfte Birnen verwend Die aufgefangene Flüssigkeit benöt gen Sie für den Guß.

Gloria-Torte

Zubereitungszeit: 50 Min.
Backzeit: 10–15 Min.

Insgesamt:
E: 84 g, F: 304 g, Kh: 497 g,
kJ: 22076, kcal: 5276

Für den Biskuitteig:
- ■ **4 Eier**
- ■ **4 EL heißes Wasser**
- ■ **200 g Zucker**
- ■ **1 Pck. Vanillin-Zucker**
- ■ **200 g Weizenmehl**
- ■ **1 TL Backpulver**

Für die Füllung:
- ■ **4 Blatt weiße Gelatine**
- ■ **750 ml (¾ l) Schlagsahne**
- ■ **50 g Zucker**
- ■ **2 Pck. Vanillin-Zucker**
- ■ **2 TL Instant-Kaffeepulver**
- ■ **2 EL Rum**
- ■ **100 g Zartbitter-Schokoladenraspel**
- ■ **1 EL Kakaopulver**

Zum Verzieren:
- ■ **20 g Zartbitterkuvertüre**

■ **Tip:**
Die Biskuitplatte vor dem Bestreichen mit der Sahnemasse zusätzlich mit 2 Eßlöffeln Preiselbeer- oder Aprikosenkonfitüre bestreichen.

1 Für den Biskuitteig Eier und Wasser mit Handrührgerät mit Rührbesen auf höchster Stufe in 1 Minute schaumig schlagen. Zucker mit Vanillin-Zucker mischen, in 1 Minute einstreuen, dann noch etwa 2 Minuten schlagen.

2 Mehl und Backpulver mischen, die Hälfte davon auf die Eiercreme sieben und kurz auf niedrigster Stufe unterrühren. Den Rest des Mehlgemisches auf die gleiche Weise unterarbeiten.

3 Den Teig auf ein gefettetes, mit Backpapier belegtes Backblech streichen, das Papier vor dem Teig zur Falte knicken. Das Backblech sofort in den Backofen schieben.

Ober-/Unterhitze:
etwa 220 °C (vorgeheizt)
Heißluft: –
Gas: Stufe 3–4 (vorgeheizt)
Backzeit: 10–15 Min.

4 Die Biskuitplatte auf ein mit Zucker bestreutes Stück Backpapier stürzen, das mitgebackene Backpapier abziehen und die Platte erkalten lassen. Sie dann der Länge nach in etwa 5 cm breite Streifen schneiden.

5 Für die Füllung Gelatine in [kal]tem Wasser einweichen. Sah[ne] mit Zucker und Vanillin-Zucker s[teif] schlagen. Das Kaffeepulver im Ru[m] auflösen, mit Schokoladenraspel[n] und Kakao unter die Sahne hebe[n.]

6 Die Gelatine ausdrücken, a[uflö]sen und unter die Sahnema[sse] rühren. ⅔ der Masse auf die Bisk[uit]streifen streichen. Einen Streifen z[u] einer Schnecke formen und in die Mitte einer Tortenplatte setzen. D[ie] nächsten Streifen anschließen, bi[s die] Torte gleichmäßig rund ist.

7 Tortenoberfläche und -rand mit der restlichen Sahnemas[se] bestreichen. Die Kuvertüre mit einem Messer oder Sparschäler a[uf] die Oberfläche schaben.

■ **Abwandlung:**
Biskuitstreifen auf einem Knetteigb[o]den zu einer Torte formen. Dazu 15[0 g] Weizenmehl, 75 g Zucker, 1 Pck. Va[nil]lin-Zucker und 100 g Butter zu eine[m] Knetteig verarbeiten und in einer Springform (Ø 26 cm, Boden gefett[et)] bei etwa 200 °C (Heißluft 180 °C, G[as] etwa Stufe 4) 10–15 Minuten back[en.] Den Boden mit etwas Konfitüre od[er] aufgelöster Schokolade bestreiche[n.]

Apfel-Amaretto-Torte

Zubereitungszeit: 50 Min.
Backzeit: etwa 45 Min.

Insgesamt:
E: 98 g, F: 330 g, Kh: 488 g,
kJ: 23826, kcal: 5692

Für den Rührteig:
- **100 g weiche Butter**
- **100 g Zucker**
- **1 Pck. Vanillin-Zucker**
- **2 Eier**
- **150 g Weizenmehl**
- **1 gestr. TL Backpulver**
- **1 TL gemahlener Zimt**
- **2–3 EL Rum**

Für den Belag:
- **2 Äpfel (etwa 400 g, z. B. Boskop oder Cox Orange)**

Für die Baisermasse:
- **4 Eiweiß**
- **1 Prise Salz**
- **200 g gesiebter Puderzucker**
- **200 g abgezogene, gemahlene Mandeln**
- **2 TL gemahlener Zimt**
- **2 EL Amaretto**

Zum Bestreichen:
- **400 ml Schlagsahne**
- **2 Pck. Sahnesteif**

- **gemahlener Zimt**

1 Für den Rührteig Butter mit Handrührgerät mit Rührbesen auf höchster Stufe geschmeidig rühren. Nach und nach Zucker und Vanillin-Zucker unterrühren, so lange rühren, bis eine gebundene Masse entstanden ist. Eier nach und nach unterrühren (jedes Ei etwa ½ Minute).

2 Mehl mit Backpulver und Zimt mischen, sieben und abwechselnd portionsweise mit Rum auf mittlerer Stufe unterrühren. Den Teig in eine Springform (Ø 26 cm, Boden gefettet, mit abgezogenen, gemahlenen Mandeln bestreut) füllen und glattstreichen.

3 Für den Belag Äpfel schälen, vierteln, entkernen und den Teig damit belegen.

4 Für die Baisermasse Eiweiß mit Salz sehr steif schlagen, den Puderzucker unter weiterem Schlagen einstreuen und so lange rühren, bis er sich gelöst hat. Es muß eine glänzende, schnittfeste Baisermasse entstehen.

5 Mandeln, Zimt und Amare[tto] vorsichtig unterheben. Die [Bai]sermasse auf die Äpfel geben und glattstreichen. Die Form auf dem Rost in den Backofen schieben.

Ober-/Unterhitze:
etwa 180 °C (vorgeheizt)
Heißluft:
etwa 160 °C (nicht vorgeheizt)
Gas: Stufe 2–3 (nicht vorgeheiz[t])
Backzeit: etwa 45 Min.

6 Die Torte evtl. nach gut der Hälfte der Backzeit mit Alu[folie] abdecken. Das fertige Gebäck aus [der] Form lösen und auf einem Kuche[n]rost erkalten lassen.

7 Sahne mit Sahnesteif steif schlagen, den Tortenrand d[amit] bestreichen, die restliche Sa[h]ne auf die Oberfläche streichen u[nd] mit einem Eßlöffel leichte Vertief[un]gen eindrücken. Die Torte kühl st[el]len und kurz vor dem Servieren [mit] Zimt bestäuben.

- **Tip:**
Die Torte nach Belieben mit Zucke[r]perlen in unterschiedlicher Größe garnieren.

Malagatorte

Zubereitungszeit: 60 Min.
Backzeit: 90–105 Min.

Insgesamt:
E: 99 g, F: 374 g, Kh: 430 g,
kJ: 24430, kcal: 5834

Für den Biskuitteig:
- 2 Eier
- 3 Eigelb
- 150 g Zucker
- 1 Pck. Vanillin-Zucker
- 5 Tropfen Butter-Vanille-Aroma
- 70 g Weizenmehl
- 1 Msp. Backpulver
- 150 g nicht abgezogene, gemahlene Mandeln

Für die Baisermasse:
- 2 Eiweiß
- 75 g Zucker
- 50 g nicht abgezogene, gemahlene Mandeln

Für die Malagacreme:
- 1 Pck. Pudding-Pulver Vanille-Geschmack
- 40 g Zucker
- 375 ml (³/₈ l) Milch
- 250 g Butter
- 100 ml Malaga (spanischer Dessertwein)

- 50 g fein geriebene Zartbitterschokolade
- gesiebter Puderzucker

1 Für den Biskuitteig Eier und Eigelb mit Handrührgerät mit Rührbesen auf höchster Stufe in 1 Minute schaumig schlagen.

2 Zucker mit Vanillin-Zucker mischen, in 1 Minute einstr en, dann noch etwa 2 Minuten sc gen. Butter-Vanille-Aroma unter- rühren.

3 Mehl und Backpulver misch die Hälfte davon auf die Eie creme sieben und kurz auf niedri ster Stufe unterrühren. Den Rest Mehlgemisches auf die gleiche W unterarbeiten. Zuletzt Mandeln v sichtig unterrühren.

Den Teig in eine Springform
(Ø 26 cm, Boden gefettet, mit
kpapier belegt) füllen. Die Form
rt auf dem Rost in den Backofen
eben.

r-/Unterhitze:
a 180 °C (vorgeheizt)
ßluft: –
: etwa Stufe 3 (nicht vorge-
t)
kzeit: 25–30 Min.

Den Tortenboden aus der
Form lösen, auf einen mit
kpapier belegten Kuchenrost
zen, das Backpapier abziehen,
Boden erkalten lassen und einmal waagerecht durch-
schneiden.

6 Für die Baisermasse ein Backblech mit Backpapier belegen
und einen Kreis (Ø 24 cm) aufzeich-
nen. Eiweiß steif schlagen, Zucker
unterschlagen. $1/3$ der Baisermasse
in einen Spritzbeutel mit kleiner
Lochtülle füllen und damit Dreiecke
auf das Backpapier (außerhalb des
Kreises) spritzen.

7 Unter die übrige Masse Mandeln rühren, in den Spritzbeutel
füllen und den Kreis damit ausspritz-
zen. Das Backblech in den Backofen
schieben. Die Backofentür während
des Backens einen Spalt geöffnet
halten.

Ober-/Unterhitze:
etwa 130 °C (vorgeheizt)
Heißluft: etwa 110 °C
(nicht vorgeheizt)
Gas: etwa Stufe 2
(nicht vorgeheizt)
Backzeit: 65–75 Min.

8 Boden und Dreiecke nach
dem Backen lösen und erkalten
lassen.

9 Für die Malagacreme aus Pudding-Pulver, Zucker und Milch
nach Packungsaufschrift einen Pudding bereiten, in eine Schüssel geben,
mit Klarsichtfolie abdecken und
erkalten lassen.

10 Butter geschmeidig rühren
und nach und nach unter
den Pudding rühren. Zuletzt eßlöf-
felweise Malaga unterrühren.

11 Den unteren Biskuitboden
mit 3 Eßlöffeln der Creme
bestreichen, mit dem Baiserboden
belegen, wieder mit 3 Eßlöffeln
Creme bestreichen und mit dem
oberen Biskuitboden bedecken. Tortenrand und -oberfläche mit der
restlichen Creme bestreichen und
mit Schokolade bestreuen.

12 Die Torte kurz vor dem
Verzehr mit den mit Puderzucker bestäubten Baiserdreiecken
garnieren.

■ **Abwandlung:**
Anstelle des selbstgemachten Baisers
etwa 150 g Löffelbiskuits auf der
Creme verteilen und mit 100 ml Malaga oder Orangensaft tränken. Die Torte
mit Sahnetuffs verzieren.

■ **Tip:**
Anstelle des selbstgemachten Baisers
4 gekaufte Baiserschalen zerbröseln,
$2/3$ davon anstelle des Baiserbodens
zwischen der Creme verteilen und
die restlichen Brösel kurz vor dem
Servieren auf die Torte streuen.

Rügener Welle

Zubereitungszeit: 50 Min., ohne Kühlzeit
Backzeit: 60–75 Min.

Insgesamt:
E: 53 g, F: 209 g, Kh: 389 g,
kJ: 16259, kcal: 3883

Für den Brandteig:
- **200 ml Wasser**
- **65 g Butter**
- **1 Prise Salz**
- **120 g Weizenmehl**
- **30 g Speisestärke**
- **3–4 Eier**

Für die Kirschgrütze:
- **je 1 Glas entsteinte Sauer- und Süßkirschen (Abtropf-gewicht à 370 g)**
- **30 g Speisestärke**
- **20 g Zucker**
- **1 Pck. Bourbon Vanille-Zucker**
- **50 ml Kirschlikör**
- **etwa 20 g Zucker**

Für die Mohnsahne:
- **400 ml Schlagsahne**
- **1 Pck. Sahnesteif**
- **1 EL gesiebter Puderzucker**
- **1 Pck. Bourbon Vanille-Zucker**
- **2 EL frisch gemahlener Mohn**

1 Für den Brandteig Wasser, Butter und Salz in einem Stieltopf zum Kochen bringen.

2 Mehl mit Speisestärke mischen, sieben, auf einmal in die von der Kochstelle genommene Flüssigkeit schütten, zu einem glatten Kloß rühren und unter Rühren etwa 1 Minute erhitzen.

3 Den heißen Kloß sofort in eine Schüssel geben und nach und nach die Eier mit Handrührgerät mit Knethaken auf höchster Stufe unterarbeiten. Eine weitere Eizugabe erübrigt sich, wenn der Teig stark glänzt und so von einem Löffel abreißt, daß lange Spitzen hängenbleiben.

4 Aus dem Teig zunächst 2 Böden backen. Dazu ein Backblech mit Backpapier belegen und einen Kreis (Ø 24 cm) vorzeichnen. Den Kreis mit 1/3 des Teiges mit Hilfe eines nassen Eßlöffels ausstreichen. Das Backblech in den Backofen schieben.

Ober-/Unterhitze:
200–220 °C (vorgeheizt)
Heißluft:
etwa 180 °C (nicht vorgeheizt)
Gas: Stufe 4–5 (nicht vorgeheizt)
Backzeit: 20–25 Min.

5 Während der ersten 15 Minuten Backofentür nicht öffnen.

Den fertigen Boden vom Backpap[ier] lösen, auf einem Kuchenrost erka[lten] lassen. Den zweiten Boden auf di[e]selbe Weise backen.

6 Den restlichen Teig in einen Spritzbeutel mit kleiner Loc[h]tülle füllen und in Form von Wel[len] auf das mit Backpapier belegte Ba[ck]blech spritzen. Die Wellen wie die Böden backen, vom Backpapier l[ösen] und erkalten lassen.

7 Für die Kirschgrütze Kirsch[en] auf ein Sieb geben und abtr[op]fen lassen. Dabei den Saft auffang[en] und 300 ml abmessen. Saft mit Sp[ei]sestärke, Zucker und Bourbon-Va[]nille-Zucker in einem Topf verrü[h]ren und unter Rühren kurz aufko[]chen lassen. Kirschen und Kirsch[]likör unterrühren. Grütze mit Zu[cker] abschmecken und erkalten lassen[.]

8 Für die Mohnsahne Sahne m[it] Sahnesteif steif schlagen. Puderzucker, Vanille-Zucker und Mohn unterheben.

9 Einen der Böden mit der Hä[lfte] der Kirschgrütze bestreichen[.] Darauf die Hälfte der Mohnsahne verteilen. Den zweiten Boden dar[auf] legen, mit der restlichen Kirschgr[ütze] und der restlichen Mohnsahne bestreichen. Mit den „Wellen" be[]legen.

Himmel-und-Hölle-Torte

Zubereitungszeit: 60 Min.
Backzeit: etwa 40 Min.

Insgesamt:
E: 78 g, F: 309 g, Kh: 704 g,
kJ: 26192, kcal: 6258

Für den Knetteig:
- **125 g Weizenmehl**
- **1 Msp. Backpulver**
- **50 g Zucker**
- **1 Pck. Vanillin-Zucker**
- **5 Tropfen Zitronen-Aroma**
- **1 Prise Salz, 1 kleines Ei**
- **75 g Butter**

Für den Biskuitteig:
- **3 Eier, 100 g Zucker**
- **1 Pck. Vanillin-Zucker**
- **100 g Weizenmehl**
- **25 g Speisestärke**
- **1 gestr. TL Backpulver**

Für Füllung I:
- **1 Glas Sauerkirschen (Abtropfgewicht 370 g)**
- **370 ml Kirschsaft**
- **1 Pck. Pudding-Pulver Vanille-Geschmack**
- **30 g Zucker**
- **2 cl Kirschlikör**

Für Füllung II:
- **500 ml (½ l) Schlagsahne**
- **1 Pck. Aranca Aprikose-Maracuja-Geschmack**
- **200 ml heller Sekt**

- **125 ml (⅛ l) Schlagsahne**
- **1 TL Sahnesteif**
- **1 TL Zucker**

- **75 g geraspelte, weiße Schokolade**
- **100 g rotes Gelee**

1 Für den Knetteig Mehl und Backpulver mischen und in eine Rührschüssel sieben. Zucker, Vanillin-Zucker, Zitronen-Aroma, Salz, Ei und Butter hinzufügen.

2 Die Zutaten mit Handrührgerät mit Knethaken zunächst kurz auf niedrigster, dann auf höchster Stufe gut durcharbeiten, anschließend auf der Arbeitsfläche zu einem glatten Teig verkneten. Sollte er kleben, ihn eine Zeitlang kalt stellen.

3 Den Teig auf dem gefetteten Boden einer Springform (Ø 28 cm) ausrollen und mehrmals mit einer Gabel einstechen. Den Springformrand um den Boden legen und die Form auf dem Rost in den Backofen schieben.

Ober-/Unterhitze:
200–220 °C (vorgeheizt)
Heißluft: 180–200 °C
(nicht vorgeheizt)
Gas: Stufe 3–4 (vorgeheizt)
Backzeit: etwa 15 Min.

4 Den Boden sofort vom Spri[ng]formboden lösen, aber erst nach dem Erkalten herunterneh[men.]

5 Für den Biskuitteig Eier mit Handrührgerät mit Rührbe[sen] auf höchster Stufe in 1 Minute schaumig schlagen. Zucker mit Va[ni]llin-Zucker mischen, in 1 Minu[te] einstreuen, dann noch etwa 2 Mi[nu]ten schlagen.

6 Mehl, Speisestärke und Bac[k]pulver mischen, die Hälfte d[a]von auf die Eiercreme sieben und kurz auf niedrigster Stufe unterrü[h]ren. Den Rest des Mehlgemisches [auf] die gleiche Weise unterarbeiten.

7 Den Teig in eine Springform (Ø etwa 28 cm, Boden gefet[tet] mit Backpapier belegt) füllen. Di[e] Form sofort auf dem Rost in den Backofen schieben.

Ober-/Unterhitze:
etwa 180 °C (vorgeheizt)
Heißluft: –
Gas: Stufe 2–3 (nicht vorgeheiz[t])
Backzeit: etwa 25 Min.

8 Den Boden sofort aus der F[orm] lösen, auf einen Kuchenrost stürzen, das Backpapier abziehen [und] den Boden erkalten lassen und ei[n]mal waagerecht durchschneiden.

(Fortsetzung Seite [...])

9 Für Füllung I Sauerkirschen abtropfen lassen. Saft dabei auffangen, mit Wasser auf 370 ml ergänzen. Pudding-Pulver und Zucker mit Kirschsaft anrühren, unter Rühren kurz aufkochen lassen. Kirschen und Kirschlikör unterrühren.

10 Einen Tortenring um den Knetteigboden stellen. Die Hälfte der Kirschmasse darauf verteilen. Den unteren Biskuitboden auflegen, die restliche Kirschmasse darauf verteilen und erkalten lassen.

11 Für Füllung II Sahne steif schlagen. Aranca nach Packungsaufschrift (aber mit Sekt anstelle von Wasser) schaumig schlagen. Das Aroma aus der beiliegenden Kapsel und die Sahne gleichmäßig unter die Arancamasse rühren.

12 Die Hälfte der Creme auf den mit der Kirschmasse bestrichenen Boden geben, verstreichen und mit dem oberen Biskuitboden bedecken. Den Boden mit der restlichen Creme bestreichen. Die

Torte 3 Stunden kalt stellen. Den Tortenring entfernen.

13 Sahne mit Sahnesteif und Zucker steif schlagen. De Tortenrand mit Sahne bestreichen und mit Schokolade bestreuen.

14 Gelee glattrühren, in ein kleinen Gefrierbeutel füllen. Eine kleine Ecke abschneiden und die Tortenoberfläche mit dem Gelee verzieren.

Traubentorte Weinberg

Zubereitungszeit: 45 Min., ohne Kühlzeit

Insgesamt:
E: 51 g, F: 239 g, Kh: 567 g, kJ: 20370, kcal: 4862

Für den Tortenboden:
- **100 g Butter**
- **200 g Zucker**
- **150 g Cornflakes**
- **50 g abgezogene, gehobelte Mandeln**
- **200 ml Schlagsahne**

Für den Belag:
- **2 EL Apfelgelee**
- **1 Pck. Weißwein-Creme**
- **125 ml (⅛ l) Schlagsahne**
- **500 g helle Weintrauben**
- **etwas Zucker**

1 Für den Tortenboden eine Springform (Ø 28 cm) mit Alufolie auslegen (blanke Seite nach innen), dabei einen 2 cm hohen Rand hochziehen. Die Folie mit etwas Butter einfetten.

2 Die Butter in einem Topf zerlassen, den Zucker zugeben und unter Rühren erhitzen, bis er gelöst ist und leicht zu bräunen beginnt.

3 Cornflakes und Mandeln unterrühren, von der Kochstelle nehmen, unter Rühren nach und nach die Sahne zugießen. Alles wieder erhitzen, bis die Masse dicklich wird. Die Masse in die Springform geben, mit einem nassen Löffel gleichmäßig am Springformboden und -rand andrücken und fest werden lassen.

4 Für den Belag Apfelgelee glat rühren und auf den Boden streichen. Weißwein-Creme mit S ne nach Packungsaufschrift zuber ten, in die Form füllen und glattstreichen.

5 Weintrauben waschen, noch feucht in Zucker wälzen und die Creme drücken. Die Torte etw 1 Stunde kalt stellen.

- **Tip:**

Sollte der Boden nicht kroß genug sein, ihn vor dem Belegen kurz bei etwa 220 °C (Heißluft: etwa 200 °C Gas: etwa Stufe 4) im Backofen au backen.

Kuchen-versuchungen

Mit peppigen neuen Rezepten treten wir den Beweis an, daß Kuchen keinesfalls trocken sein müssen.

Coca-Cola Kuchen

* Rezept nicht durch Coca-Cola autorisier

Zubereitungszeit: 40 Min.
Backzeit: 25–30 Min.

Insgesamt:
E: 48 g, F: 212 g, Kh: 750 g,
kJ: 21654, kcal: 5171

Für den All-in-Teig:
- **150 g Weizenmehl**
- **1 gestr. TL Backpulver**
- **200 g Zucker**
- **100 g weiche Butter oder Margarine**
- **2 EL Kakaopulver**
- **75 ml Coca-Cola**
- **75 ml Buttermilch**
- **2 Eier**
- **½ Fläschchen Butter-Vanille-Aroma**

Für den Guß:
- **50 g Butter**
- **1½ EL Kakaopulver**
- **100 ml Coca-Cola**
- **400 g gesiebter Puderzucker**

- **100 g Pecannußkerne**

1 Für den All-in-Teig Mehl und Backpulver mischen, in eine Rührschüssel sieben, übrige Zutaten dazugeben und in 2 Minuten mit Handrührgerät mit Rührbesen zu einem glatten Teig verarbeiten.

2 Einen Backrand (20 x 20 cm) auf ein mit Backpapier belegtes Backblech stellen, den Teig hineingeben und glattstreichen. Das Backblech in den Backofen schieben.

Ober-/Unterhitze:
etwa 180 °C (vorgeheizt)
Heißluft: etwa 160 °C
(nicht vorgeheizt)
Gas: etwa Stufe 3 (nicht vorgehei
Backzeit: 25–30 Min.

3 Backrand und -papier entfer nen, Kuchen auf einen Kuch rost legen, sofort den Guß zubereit

4 Für den Guß Butter, Kakao u Coca-Cola zum Kochen brin gen, kurz einkochen lassen, den To von der Kochstelle nehmen. Pude zucker unterrühren.

5 Den heißen Guß auf den wa men Kuchen geben und mit gehackten Pecannüssen bestreuen.

Bounty-Kuchen

Foto
Zubereitungszeit: 25 Min.
Backzeit: etwa 60 Min.

Insgesamt:
E: 100 g, F: 386 g, Kh: 626 g,
kJ: 27510, kcal: 6581

Für den Rührteig:
- **250 g weiche Butter oder Margarine**
- **200 g Zucker**
- **1 Pck. Vanillin-Zucker**
- **1 Prise Salz**
- **5 Eier**
- **375 g Weizenmehl**
- **3 gestr. TL Backpulver**
- **6 EL Milch**

Für die Füllung:
- **10 Riegel Bounty**

Für den Guß:
- **100 g Zartbitterschokolade**
- **20 g Kokosfett**
- **75–100 g Kokosraspel**

1 Für den Rührteig Butter oder Margarine mit Handrührgerät mit Rührbesen auf höchster Stufe geschmeidig rühren. Nach und nach Zucker, Vanillin-Zucker und Salz unterrühren, so lange rühren, bis eine gebundene Masse entstanden ist. Eier nach und nach unterrühren (jedes Ei etwa 1/2 Minute).

2 Mehl mit Backpulver mischen, sieben und abwechselnd portionsweise mit Milch auf mittlerer Stufe unterrühren. Die Hälfte des Teiges in eine gefettete, mit Backpapier ausgelegte Kastenform (35 x 11 cm) füllen.

3 Für die Füllung die Bounty auf verteilen und mit dem r lichen Teig bestreichen. Die Form dem Rost in den Backofen schieb

Ober-/Unterhitze:
etwa 180 °C (vorgeheizt)
Heißluft: etwa 160 °C
(nicht vorgeheizt)
Gas: etwa Stufe 3 (nicht vorgehe
Backzeit: etwa 60 Min.

4 Kuchen aus der Form nehm Backpapier abziehen und au einem Kuchenrost erkalten lassen

5 Für den Guß Schokolade m Kokosfett in einem Topf im Wasserbad zu geschmeidiger Mas verrühren, den Kuchen überziehe und mit Kokosraspeln bestreuen

Prophetenkuchen

Zubereitungszeit: 10 Min.
Backzeit: etwa 7 Min.

Insgesamt:
E: 28 g, F: 215 g, Kh: 185 g,
kJ: 13001, kcal: 3105

Für den Biskuitteig:
- **6 Eigelb**
- **100 ml Speiseöl**

- **100 ml Rum (mindestens 40%ig)**
- **100 g Weizenmehl**

Für den Belag:
- **100 g Butter**
- **2 Pck. Vanillin-Zucker**
- **100 g gesiebter Puderzucker**

1 Für den Biskuitteig Eigelb m Handrührgerät mit Rührbes auf höchster Stufe 5 Minuten sch mig schlagen. Öl kurz unterrühre Rum kurz unterrühren.

2 Mehl sieben, auf mittlerer St in 1 Minute unterrühren un die Masse nochmals kurz aber krä

(Fortsetzung Seite

auf höchster Stufe schlagen. Den Teig auf ein gut gefettetes Backblech streichen und das Backblech in den Backofen schieben.

Ober-/Unterhitze:
etwa 250 °C (vorgeheizt)
Heißluft –

Gas: Stufe 4–5 (vorgeheizt)
Backzeit: etwa 7 Min.

3 Das Gebäck auf dem Blech auskühlen lassen.

4 Für den Belag Butter zerlassen, das Gebäck mit Hilfe eines Pinsels damit bestreichen und mit

Vanillin-Zucker bestreuen. Wenn Butter fest ist, das Gebäck mit Pu zucker bestäuben.

■ **Tip:**

Der Prophetenkuchen darf nur he gelb gebacken werden. Darauf ac 40%igen Rum zu verwenden.

Erfrischungskuchen

Zubereitungszeit: 25 Min.
Backzeit: etwa 45 Min.

Insgesamt:
E: 41 g, F: 145 g, Kh: 358 g,
kJ: 12457, kcal: 2976

Für den Rührteig:
■ **150 g weiche Butter oder Margarine**
■ **150 g Zucker**
■ **1 Pck. Vanillin-Zucker**
■ **1 Prise Salz**
■ **abgeriebene Schale von ½ Orange (unbehandelt)**
■ **3 Eier**
■ **150 g Weizenmehl**
■ **1 gestr. TL Backpulver**

Zum Tränken:
■ **125 ml (⅛ l) frisch gepreßter Orangensaft**
■ **etwas abgeriebene Orangen- und Zitronenschale (unbehandelt)**
■ **75 g Zucker**

■ **gesiebter Puderzucker**

1 Für den Rührteig Butter oder Margarine mit Handrührgerät mit Rührbesen auf höchster Stufe geschmeidig rühren, nach und nach Zucker, Vanillin-Zucker, Salz und Orangenschale unterrühren, so lange rühren, bis eine gebundene Masse entstanden ist. Eier nach und nach unterrühren (jedes Ei etwa ½ Minute).

2 Mehl mit Backpulver mischen, sieben und portionsweise auf mittlerer Stufe unterrühren. Den Teig in eine gefettete Rehrückenform (30 x 11 cm) füllen. Die Form auf dem Rost in den Backofen schieben.

Ober-/Unterhitze:
etwa 180 °C (vorgeheizt)
Heißluft: etwa 160 °C
(nicht vorgeheizt)
Gas: Stufe 2–3 (nicht vorgeheizt)
Backzeit: etwa 45 Min.

3 Orangensaft mit Orangen- Zitronenschale und Zucker rühren. Den Kuchen nach dem B ken stürzen, wieder in die Form ben, die flache Seite mit einem Holzstäbchen mehrmals einstech mit etwas Saft beträufeln (am bes mit einem Pinsel bestreichen) u kurz einziehen lassen.

4 Den Kuchen wieder stürzen gewölbte Seite einstechen, n dem restlichen Saft bestreichen u erkalten lassen. Den erkalteten K chen mit Puderzucker bestäuben.

■ **Abwandlung:**

Vor dem Backen gewürfelte Filets 1 Orange unter den Teig heben. D Kuchen nach Belieben mit 150 g Z bitterkuvertüre überziehen.

■ **Tip:**

Sie können den Kuchen auch in ei Kastenform (30 x 11 cm) backen.

Mousse-Johannisbeer-Schnitten

Zubereitungszeit: 30 Min.
Backzeit: 12–15 Min.

Insgesamt:
E: 54 g, F: 104 g, Kh: 407 g,
kJ: 12383, kcal: 2957

Für den Biskuitteig:
- 3 Eier
- 3 EL heißes Wasser
- 150 g Zucker
- 1 Pck. Vanillin-Zucker
- 1 Prise Salz
- 75 g Weizenmehl
- 25 g Speisestärke
- 1 gestr. TL Backpulver
- 25 g Kakaopulver

Für die Füllung:
- 2 Pck. Dr. Oetker Mousse à la Vanille
- 250 ml (¼ l) Milch
- 200 ml Schlagsahne
- 250 g rote Johannisbeeren

Zum Tränken:
- 4 cl Johannisbeerlikör
- 3 EL Schokoladenraspel

1 Für den Biskuitteig Eier und Wasser mit Handrührgerät mit Rührbesen auf höchster Stufe in 1 Minute schaumig schlagen. Zucker, Vanillin-Zucker und Salz mischen, in 1 Minute einstreuen, dann noch etwa 2 Minuten schlagen.

2 Mehl, Speisestärke, Backpulver und Kakao mischen, die Hälfte davon auf die Eiercreme sieben und kurz auf niedrigster Stufe unterrühren. Den Rest des Mehlgemisches auf die gleiche Weise unterarbeiten.

3 Den Teig auf ein gefettetes, mit Backpapier belegtes Backblech streichen. Das Backpapier unmittelbar vor dem Teig zu einer Falte knicken. Das Backblech sofort in den Backofen schieben.

Ober-/Unterhitze:
200–220 °C (vorgeheizt)
Heißluft: –
Gas: Stufe 3–4 (vorgeheizt)
Backzeit: 12–15 Min.

4 Die Biskuitplatte auf die mit Backpapier belegte Arbeitsfläche stürzen, das mitgebackene Backpapier abziehen. Das Gebäck erkalten lassen.

5 Für die Füllung die Mousse nach Packungsaufschrift (ab mit 250 ml Milch und 200 ml Sah zubereiten und im Kühlschrank etwas fest werden lassen.

6 Johannisbeeren waschen, gu abtropfen lassen, von den Ri pen streifen und unter die Mousse rühren.

7 Die erkaltete Biskuitplatte qu halbieren und mit Johannisbeerlikör beträufeln. Die Hälfte de Masse auf die eine Biskuitplatte st chen, die zweite darauf legen und mit der restlichen Masse bestreich Mit Schokoladenraspeln garnieren

- **Tip:**

Nach Belieben mit Mousse-Nocker garnieren.

Limonen-Reis-Kuchen

Zubereitungszeit: 30 Min.,
ohne Quellzeit
Backzeit: etwa 75 Min.

Insgesamt:
E: 101 g, F: 273 g, Kh: 656 g,
kJ: 23809, kcal: 5684

Für den Belag:
- **1 l Milch**
- **300 g Milchreis**

Für den Knetteig:
- **200 g Weizenmehl**
- **100 g Zucker**
- **1 Prise Salz**
- **1 Ei**
- **125 g Butter oder Margarine**

Für den Belag:
- **Schale von 3 Limonen (unbehandelt)**
- **8–10 EL Limonensaft**
- **100 g Zucker**
- **400 ml Schlagsahne**
- **2 Eiweiß**
- **1 Prise Salz**

- **gesiebter Puderzucker**
- **Limonenscheiben**

1 Milch zum Kochen bringen. Reis unter Rühren einstreuen, aufkochen lassen und bei schwacher Hitze in etwa 30 Minuten ausquellen lassen. Dabei ab und zu umrühren. Den Reis abkühlen lassen.

2 Für den Knetteig das Mehl in eine Rührschüssel sieben. Zucker, Salz, Ei und Butter oder Margarine hinzufügen. Die Zutaten mit Handrührgerät mit Knethaken zunächst kurz auf niedrigster, dann auf höchster Stufe gut durcharbeiten. Anschließend auf der Arbeitsfläche zu einem glatten Teig verkneten. Sollte er kleben, ihn eine Zeitlang kalt stellen.

3 Gut die Hälfte des Teiges auf einem gefetteten Springformboden (Ø 28 cm) ausrollen, mit einer Gabel mehrmals einstechen. Springformrand darumlegen. Die Form auf dem Rost in den Backofen schieben.

Ober-/Unterhitze:
etwa 200 °C (vorgeheizt)
Heißluft: etwa 180 °C
(nicht vorgeheizt)
Gas: Stufe 3–4 (vorgeheizt)
Backzeit: etwa 15 Min.

4 In der Zwischenzeit Limone[n]schale, Limonensaft, restlich[en] Zucker und Sahne unter den Reis rühren. Eiweiß mit Salz steif schla[gen] und unterheben.

5 Den restlichen Teig zu einer Rolle formen, auf den vorge[backenen] backenen Boden legen und als etw[a] 3 cm hohen Rand an den Springformrand drücken. Die Reismasse einfüllen und den überstehenden Teig abschneiden. Die Form auf d[em] Rost in den Backofen schieben.

Ober-/Unterhitze:
etwa 180 °C (vorgeheizt)
Heißluft: etwa 160 °C
(nicht vorgeheizt)
Gas: Stufe 2–3 (nicht vorgeheizt)
Backzeit: etwa 60 Min.

6 Den Kuchen etwas abkühle[n] lassen, aus der Form lösen, a[uf] einem Kuchenrost erkalten lassen. Mit Puderzucker bestäuben und [mit] Limonenscheiben garnieren.

Mitropakuchen

Zubereitungszeit: 40 Min.,
ohne Kühlzeit
Backzeit: 8–10 Min.

Insgesamt:
E: 66 g, F: 94 g, Kh: 271 g,
kJ: 9549, kcal: 2281

Für den Biskuitteig:
- **2 Eier**
- **1 Eigelb**
- **75 g Zucker**
- **1 Pck. Vanillin-Zucker**
- **75 g Weizenmehl**
- **25 g Speisestärke**
- **1 gestr. TL Backpulver**

Zum Bestreichen:
- **100 g rotes Johannisbeer-gelee oder Waldfrucht-konfitüre**

Für die Füllung:
- **3 Blatt rote Gelatine**
- **150 ml Himbeer- oder Johannisbeersaft**
- **250 g Speisequark**
- **200–250 ml Schlagsahne**

- **3 EL Aprikosenkonfitüre**

1 Für den Biskuitteig Eier und Eigelb mit Handrührgerät mit Rührbesen auf höchster Stufe in 1 Minute schaumig schlagen. Zucker mit Vanillin-Zucker mischen, in 1 Minute einstreuen, dann noch etwa 2 Minuten schlagen.

2 Mehl, Speisestärke und Back-pulver mischen, die Hälfte davon auf die Eiercreme sieben und kurz auf niedrigster Stufe unterrühren. Den Rest des Mehlgemisches auf die gleiche Weise unterarbeiten.

3 Den Teig auf ein gefettetes, mit Backpapier belegtes Backblech streichen. Das Backpapier unmittelbar vor dem Teig zu einer Falte knik-ken. Das Backblech sofort in den Backofen schieben.

Ober-/Unterhitze:
200–220 °C (vorgeheizt)
Heißluft: –
Gas: Stufe 3–4 (vorgeheizt)
Backzeit: 8–10 Minuten.

4 Die Biskuitplatte auf die mit Backpapier belegte Arbeits-fläche stürzen, das mitgebackene Backpapier abziehen. An einer der langen Seiten einen 10 cm breiten Streifen abschneiden und zurück-legen. Die Biskuitplatte sofort mit verrührtem Gelee oder Konfitüre b streichen, aufrollen und erkalten lassen.

5 Die Biskuitrolle in etwa 1 cn dicke Scheiben schneiden un in eine Schüssel (2 Liter Inhalt, mi Klarsichtfolie ausgelegt) legen.

6 Für die Füllung Gelatine in wenig kaltem Wasser einwei-chen, ausdrücken, auflösen und un den Saft rühren. Sobald die Masse fängt zu gelieren, Quark und steif geschlagene Sahne unterheben. D Masse in die Schüssel füllen, mit d zurückgelassenen, in passende Ab schnitte geschnittenen Biskuitstre belegen und 3 Stunden kalt steller

7 Gebäck auf eine Tortenplatt stürzen. Aprikosenkonfitüre durch ein Sieb streichen, unter Rühren aufkochen lassen und das Gebäck damit bestreichen.

■ **Tip:**
Unter die Füllung zusätzlich 200 g Himbeeren oder Johannisbeeren heben.

Pflaumenmuskuchen

Zubereitungszeit: 25 Min.
Backzeit: etwa 35 Min.

Insgesamt:
E: 72 g, F: 136 g, Kh: 431 g,
kJ: 14124, kcal: 3373

Für den Quark-Öl-Teig:
- ■ **250 g Weizenmehl**
- ■ **3 TL Backpulver**
- ■ **125 g Magerquark**
- ■ **5 EL Milch**
- ■ **5 EL Speiseöl**
- ■ **50 g Zucker**

Für die Füllung:
- ■ **200 g Marzipan-Rohmasse**
- ■ **125 g Pflaumenmus**

Zum Bestreichen:
- ■ **1 EL Kondensmilch**

Für den Guß:
- ■ **2 EL gesiebter Puderzucker**
- ■ **1 TL Zitronensaft**

Zum Bestreuen:
- ■ **1 EL Hagelzucker**

1 Für den Quark-Öl-Teig Mehl und Backpulver mischen und in eine Rührschüssel sieben. Quark, Milch, Öl und Zucker hinzufügen.

2 Die Zutaten mit Handrührgerät mit Knethaken auf höchster Stufe in etwa 1 Minute zu einem Teig verarbeiten (nicht zu lange, Teig klebt sonst). Den Teig anschließend auf einer bemehlten Arbeitsfläche zu einem Rechteck (25 x 30 cm) ausrollen und längs halbieren.

3 Für die Füllung das Marzipan fein würfeln und mit dem Pflaumenmus verrühren. Die Masse auf die Teigstreifen streichen, dabei jeweils einen 2 cm breiten Rand frei lassen. Die Teigstreifen jeweils von der Längsseite her aufrollen.

4 Beide Teigrollen wie Kordel umeinanderdrehen, die Wö bungen mit einem Messer etwa $1/2$ cm tief einschneiden und das Ganze in eine gefettete Kastenfor (30 x 11 cm) legen. Den Teig mit Kondensmilch bestreichen. Die Form auf dem Rost in den Backo schieben.

Ober-/Unterhitze:
etwa 180 °C (vorgeheizt)
Heißluft:
etwa 160 °C (nicht vorgeheizt)
Gas: Stufe 2–3 (nicht vorgeheizt
Backzeit: etwa 35 Min.

5 Den Kuchen sofort aus der Form lösen und auf einem Kuchenrost abkühlen lassen.

6 Für den Guß Puderzucker u Zitronensaft glattrühren, de Kuchen damit bestreichen und m Hagelzucker bestreuen.

■ **Tip:**
Gebäck aus Quark-Öl-Teig sollte m lichst frisch gegessen werden.

Vanilletorte Olé

Zubereitungszeit: 35 Min.
Backzeit: etwa 45 Min.

Insgesamt:
E: 98 g, F: 204 g, Kh: 657 g,
kJ: 21118, kcal: 5045

Für den Rührteig:
- ◼ **100 g Marzipan-Rohmasse**
- ◼ **5 Eigelb**
- ◼ **150 g Zucker**
- ◼ **1 Pck. Bourbon Vanille-Zucker**
- ◼ **5 Eiweiß**
- ◼ **1 Prise Salz**
- ◼ **100 g Weizenmehl**
- ◼ **100 g Speisestärke**
- ◼ **1 gestr. TL Backpulver**
- ◼ **100 g zerlassene, abgekühlte Butter**
- ◼ **50 g grob geraspelte Zartbitterschokolade**
- ◼ **30 g abgezogene, gehackte Mandeln**
- ◼ **30 g fein gewürfeltes Zitronat**

- ◼ **3 EL Aprikosenkonfitüre**
- ◼ **300 g Halbbitter-Kuvertüre**

- ◼ **weiße Kuvertüre**
- ◼ **Schokoladenornamente**

1 Für den Rührteig Marzipan-Rohmasse grob zerkleinern, zusammen mit Eigelb mit Handrührgerät mit Rührbesen auf höchster Stufe geschmeidig rühren. Nach und nach Zucker und Vanille-Zucker unterrühren, so lange rühren, bis sich der Zucker aufgelöst hat.

2 Eiweiß und Salz steif schlagen und unter die Marzipanmasse heben. Mehl, Speisestärke und Backpulver mischen, sieben und auf niedrigster Stufe portionsweise unterrühren.

3 Butter langsam hinzugeben. Schokolade, Mandeln und Zitronat unterrühren. Den Teig in eine gefettete, mit Mandeln ausgestreute Tarteform (Ø 26 cm, mit 3–4 cm hohem Rand) füllen und glattstreichen. Die Form auf dem Rost in den Backofen schieben.

Ober-/Unterhitze:
etwa 180 °C (vorgeheizt)
Heißluft: etwa 160 °C
(nicht vorgeheizt)
Gas: etwa Stufe 3 (nicht vorgehe[izt])
Backzeit: etwa 45 Min.

4 Den Kuchen in der Form et[wa] 5 Minuten stehen lassen, ihn dann auf einen mit Backpapier belegten Kuchenrost stürzen und erkalten lassen.

5 Konfitüre unter Rühren erh[it]zen, die Torte vollständig da[mit] bestreichen und antrocknen lasse[n].

6 Kuvertüre grob zerkleinern, [in] einem kleinen Topf im Wass[er]bad zu geschmeidiger Masse verr[üh]ren, etwas abkühlen lassen, gleich[ch]mäßig auf Tortenoberfläche und -rand verteilen und fest werden lassen.

7 Die Torte mit aufgelöster, weißer Kuvertüre und Scho[ko]ladenornamenten garnieren.

◼ **Tip:**
Sie können die Vanilletorte auch in[.] einer Springform backen. Die Vanil[le]torte bleibt im Kühlschrank gut in Alufolie verpackt mehrere Tage fris[ch]

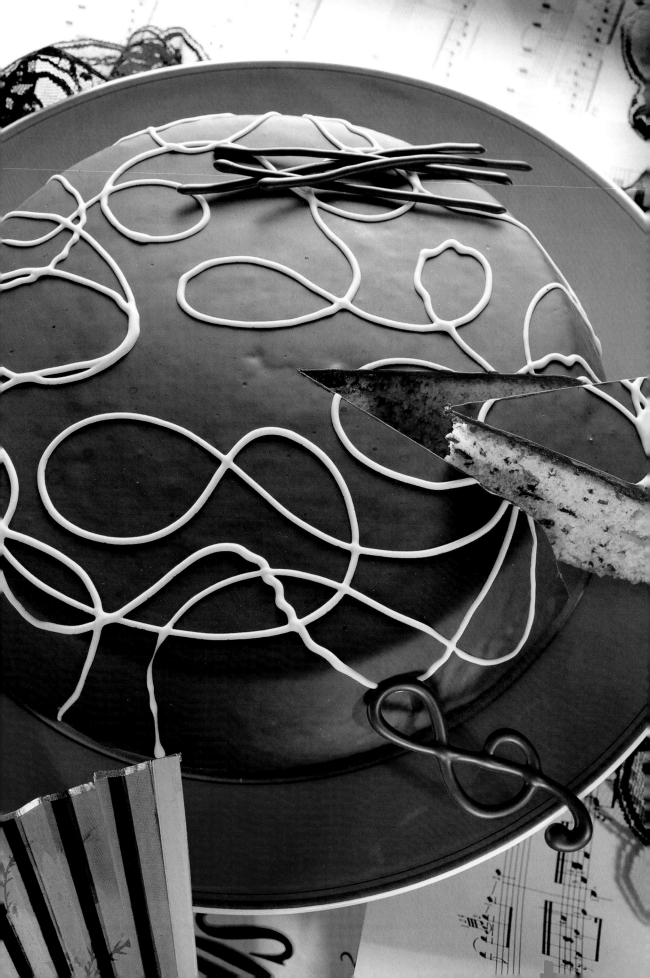

Verführung pur, der so
leicht niemand wider-
stehen kann.
Also schwelgen Sie mit!

After-Eight-Torte

Zubereitungszeit: 75 Min.,
ohne Kühlzeit
Backzeit: etwa 25 Min.

Insgesamt:
E: 106 g, F: 552 g, Kh: 593 g,
kJ: 34640, kcal: 8271

Für die After-Eight-Sahne:
- **2 Pck. (à 200 g) After Eight**
- **750 ml (³/4 l) Schlagsahne**
- **3 Pck. Sahnesteif**

Für den Teig:
- **80 g weiche Butter oder**
  Margarine
- **80 g Zucker**
- **5 Eigelb**
- **1 EL Rum**

- **100 g geraspelte Zartbitter-**
  Schokolade
- **200 g abgezogene,**
  gemahlene Mandeln
- **1 TL Backpulver**
- **5 Eiweiß**

- **100 ml Schlagsahne**

1 Für die After-Eight-Sahne die
Täfelchen (8 Stück zurücklassen) mit der Sahne aufkochen und
über Nacht kalt stellen.

2 Für den Teig Butter oder
Margarine und Zucker mit
Handrührgerät mit Rührbesen
schaumig rühren. Eigelb nach und
nach unterrühren (jedes Eigelb
knapp ½ Minute). Rum unterrühren.

3 Schokolade mit Mandeln un
Backpulver mischen und un
rühren. Eiweiß steif schlagen und
2 Portionen locker unterheben.

4 Den Teig in eine Springform
(Ø 28 cm, Boden gefettet, m
Backpapier belegt) streichen. Die
Form auf dem Rost in den Backo
schieben.

Ober-/Unterhitze:
etwa 180 °C (vorgeheizt)
Heißluft: etwa 160 °C
(nicht vorgeheizt)
Gas: etwa Stufe 3 (nicht vorgehe
Backzeit: etwa 25 Min.

(Fortsetzung Seite

5 Den Tortenboden aus der Form lösen, das Backpapier abziehen und den Boden auf einem Kuchenrost erkalten lassen.

6 Die After-Eight-Sahne mit Sahnesteif steif schlagen. Die Masse leicht kuppelartig auf den Tortenboden streichen.

7 Sahne steif schlagen, in eine Spritzbeutel mit Sterntülle f len. Torte mit Sahneschleifen verzieren, mit After-Eight-Täfelchen garnieren, gut gekühlt servieren.

Nuss-Caramello-Torte

Zubereitungszeit: 45 Min., ohne Kühlzeit
Backzeit: etwa 45 Min.

Insgesamt:
E: 92 g, F: 460 g, Kh: 334 g, kJ: 25241, kcal: 6030

Für den Rührteig:
- **100 g weiche Butter oder Margarine**
- **100 g Zucker**
- **1 Pck. Vanillin-Zucker**
- **4 Eigelb**
- **50 g Weizenmehl**
- **1 gestr. TL Backpulver**
- **75 g gehackte Haselnußkerne**
- **125 g gemahlene Haselnußkerne**
- **50 g geriebene Schokolade**
- **4 Eiweiß**

Für die Füllung:
- **75 g Zucker**
- **500 ml (½ l) Schlagsahne**
- **2 Pck. Sahnesteif**

Zum Garnieren:
- **75 g Schokoladenlocken oder Borkenschokolade**
- **50 g gehackte Haselnußkerne**

Ober-/Unterhitze:
etwa 180 °C (vorgeheizt)
Heißluft: etwa 160 °C
(nicht vorgeheizt)
Gas: Stufe 2–3 (nicht vorgeheiz
Backzeit: etwa 45 Min.

1 Für den Rührteig Butter oder Margarine mit Handrührgerät mit Rührbesen auf höchster Stufe geschmeidig rühren. Nach und nach Zucker und Vanillin-Zucker unterrühren, so lange rühren, bis eine gebundene Masse entstanden ist. Eigelb nach und nach unterrühren (jedes Eigelb etwa ½ Minute).

2 Mehl mit Backpulver mischen, sieben und portionsweise auf mittlerer Stufe unterrühren. Nüsse und Schokolade unterrühren. Eiweiß steif schlagen und unterziehen. Den Teig in eine Springform (Ø 26 cm, Boden gefettet, mit Backpapier belegt) füllen. Die Form auf dem Rost in den Backofen schieben.

3 Den Boden aus der Form lö auf einen Kuchenrost stürze das Backpapier entfernen und de Boden erkalten lassen. Ihn einma waagerecht durchschneiden.

4 Für die Füllung Zucker in einem Topf karamelisieren l sen. Sahne hinzufügen und langsa erwärmen, bis sich alles gelöst hat Karamelsahne über Nacht kalt ste

5 Karamelsahne mit Sahneste steif schlagen. ⅔ der Sahne den unteren Boden streichen, mit dem oberen Boden bedecken. Tor oberfläche und -rand mit restlich Sahne bestreichen. Torte mit Scho ladenlocken oder Borkenschokola und Haselnußkernen garnieren.

Raffael-Torte

Zubereitungszeit: 35 Min.
Backzeit: etwa 30 Min.

Insgesamt:
E: 72 g, F: 404 g, Kh: 460 g,
kJ: 24891, kcal: 5947

Für den Rührteig:
- **50 g Kokosraspel**
- **125 g weiche Butter oder Margarine**
- **125 g Zucker**
- **1 Pck. Vanillin-Zucker**
- **4 Eigelb**
- **100 g Weizenmehl**
- **2 gestr. TL Backpulver**
- **4 Eiweiß**

Für den Belag:
- **75 g Aprikosenkonfitüre**
- **1 Dose Aprikosen (Abtropfgewicht 480 g)**
- **18 Stücke Kokos-Konfekt**
- **600 ml Schlagsahne**
- **2 Pck. Sahnesteif**
- **50 g Kokosraspel**

1 Für den Rührteig die Kokosraspel in einer Pfanne ohne Fett rösten und abkühlen lassen.

2 Butter oder Margarine mit Handrührgerät mit Rührbesen auf höchster Stufe geschmeidig rühren. Nach und nach Zucker und Vanillin-Zucker unterrühren, so lange rühren, bis eine gebundene Masse entstanden ist. Eigelb nach und nach unterrühren (jedes Eigelb etwa 1/2 Minute).

3 Mehl mit Backpulver mischen, sieben und portionsweise abwechselnd mit den Kokosraspeln auf mittlerer Stufe unterrühren. Eiweiß steif schlagen und unterheben. Den Teig in eine Springform (Ø 26 cm, Boden gefettet, mit Backpapier belegt) füllen und glattstreichen. Die Form auf dem Rost in den Backofen schieben.

Ober-/Unterhitze:
etwa 180 °C (vorgeheizt)
Heißluft: etwa 160 °C
(nicht vorgeheizt)
Gas: Stufe 2–3 (nicht vorgeheizt)
Backzeit: etwa 30 Min.

4 Den Boden etwa 10 Minuten der Form stehen lassen, aus Form lösen, auf einen Kuchenrost stürzen, das Backpapier abziehen und den Boden erkalten lassen.

5 Für den Belag Konfitüre erwärmen und auf den Tortenboden streichen. Aprikosen auf einem Sieb abtropfen lassen. 2 Aprikosenhälften in Spalten schneiden und beiseite legen, die restlichen auf der Konfitüre verteilen. Einen Tortenring um den Boden legen.

6 Vier Stücke Konfekt halbieren und zum Garnieren beiseite legen, restliches Konfekt kleinschneiden. 500 ml (1/2 l) Sahne mit Sahnesteif steif schlagen, das kleingeschnittene Konfekt unterheben und die Creme auf die Früchte streichen. Den Tortenring entfernen.

7 Die restliche Sahne steif schlagen und in einen Spritzbeutel mit Sterntülle füllen. Die Torte mit Sahnetuffs verzieren, mit Kokosraspeln, Aprikosenspalten und zurückgelassenem Konfekt garnieren.

■ **Tip:**
Anstelle der Aprikosen können Sie auch Ananas verwenden.

Schokokuppel

Zubereitungszeit: 50 Min.,
ohne Kühlzeit
Backzeit: 25–30 Min.

Insgesamt:
E: 100 g, F: 401 g, Kh: 510 g,
kJ: 26410, kcal: 6314

Für den Biskuitteig:
- **4 Eier**
- **4 EL heißes Wasser**
- **175 g Zucker**
- **1 Pck. Vanillin-Zucker**
- **200 g Weizenmehl**
- **10 g Kakaopulver**
- **³/₄ TL Backpulver**

Für die Füllung:
- **1 Dose Birnen (Abtropfgewicht 460 g)**
- **5 Blatt weiße Gelatine**
- **125 ml (¹/₈ l) Milch**
- **150 g Halbbitterschokolade**
- **500 ml (¹/₂ l) Schlagsahne**

- **2 EL Rum**
- **2 EL Aprikosenkonfitüre**

Für den Belag:
- **500 ml (¹/₂ l) Schlagsahne**
- **1 Pck. Sahnesteif**
- **1 EL kakaohaltiges Getränkepulver**

- **geraspelte Schokolade**

1 Für den Biskuitteig Eier und Wasser mit Handrührgerät mit Rührbesen auf höchster Stufe in 1 Minute schaumig schlagen. Zucker mit Vanillin-Zucker mischen, in 1 Minute einstreuen, dann noch etwa 2 Minuten schlagen.

2 Mehl, Kakao und Backpulver mischen, die Hälfte davon auf die Eiercreme sieben und kurz auf niedrigster Stufe unterrühren. Den Rest des Mehlgemisches auf die gleiche Weise unterarbeiten.

3 Den Teig in eine Springform (Ø 26 cm, Boden gefettet, mit Backpapier belegt) füllen. Die Form auf dem Rost in den Backofen schieben.

Ober-/Unterhitze:
etwa 180 °C (vorgeheizt)
Heißluft: –
Gas: Stufe 2–3 (nicht vorgeheizt)
Backzeit: 25–30 Minuten.

4 Den Boden aus der Form lösen, auf einen Kuchenrost stürzen, das Backpapier abziehen, den Boden erkalten lassen und einmal waagerecht durchschneiden. Eine Schüssel (Ø etwa 26 cm, mit Frischhaltefolie ausgelegt) mit dem unteren Boden auslegen.

5 Für die Füllung Birnen auf e[in] Sieb geben, abtropfen lassen und in Spalten schneiden. Gelatin[e] wenig kaltem Wasser einweichen.

6 Milch erwärmen und die Sch[o]kolade darin auflösen. Die au[s]gedrückte Gelatine hinzufügen un[d] so lange rühren, bis sie gelöst ist. D[ie] Schokoladenmilch kalt stellen.

7 Sobald die Flüssigkeit anfäng[t] zu gelieren, Sahne steif schla[gen] und unterheben. Die Masse in die Schüssel füllen, glattstreichen, mit den Birnenspalten belegen und m[it] Frischhaltefolie abgedeckt etwa 3 Stunden kalt stellen.

8 Den oberen Boden mit Rum tränken und mit Konfitüre bestreichen. Den Boden mit der bestrichenen Seite auf die Birnenspalten legen. Die Kuppel auf eine Tortenplatte stürzen.

9 Für den Belag Sahne mit Sah[ne]steif steif schlagen. Geträn[ke]pulver unterrühren. Die Kuppel m[it] der Sahnemasse bestreichen und m[it] Schokolade bestreuen.

■ Tip:
Die Kuppel in der Schüssel anstelle von 3 Stunden über Nacht kalt stell[en] und am nächsten Tag fertig zuberei[ten].

Chococrossies-Torte

Zubereitungszeit: 30 Min.
Backzeit: etwa 50 Min.

Insgesamt:
E: 73 g, F: 267 g, Kh: 388 g,
kJ: 18325, kcal: 4379

Für den Biskuitteig:
- **2 Eier**
- **2 EL heißes Wasser**
- **80 g Zucker**
- **1 Pck. Vanillin-Zucker**
- **80 g Weizenmehl**
- **½ gestr. TL Backpulver**

Für den Rührteig:
- **50 g weiche Butter oder Margarine**
- **50 g Zucker**
- **1 Pck. Vanillin-Zucker**
- **2 Eier**
- **70 g Weizenmehl**
- **1 Msp. Backpulver**

Für den Belag:
- **20 g Cornflakes**
- **50 g Chococrossies, zerstoßen**

Für die Füllung:
- **500 ml (½ l) Schlagsahne**
- **2 Pck. Sahnesteif**
- **1 Pck. Vanillin-Zucker**
- **80 g Chococrossies, zerstoßen**

- **12 Chococrossies**

1 Für den Biskuitteig Eier und Wasser mit Handrührgerät mit Rührbesen auf höchster Stufe in 1 Minute schaumig schlagen. Zucker mit Vanillin-Zucker mischen, in 1 Minute einstreuen, dann noch etwa 2 Minuten schlagen.

2 Mehl und Backpulver mischen, die Hälfte davon auf die Eiercreme sieben und kurz auf niedrigster Stufe unterrühren. Den Rest des Mehlgemisches auf die gleiche Weise unterarbeiten. Den Teig in eine Springform (Ø 26 cm, Boden gefettet, mit Backpapier belegt) füllen. Die Form auf dem Rost in den Backofen schieben.

Ober-/Unterhitze:
etwa 180 °C (vorgeheizt)
Heißluft: –
Gas: Stufe 3–4 (vorgeheizt)
Backzeit: etwa 25 Min.

3 Den Boden aus der Form lösen, auf einen Kuchenrost stürzen, das Backpapier entfernen und den Boden erkalten lassen.

4 Für den Rührteig Butter oder Margarine mit Handrührgerät mit Rührbesen auf höchster Stufe geschmeidig rühren. Nach und nach Zucker und Vanillin-Zucker unterrühren, so lange rühren, bis eine gebundene Masse entstanden ist. Eier nach und nach unterrühren (jedes etwa ½ Minute).

5 Mehl mit Backpulver mische sieben, portionsweise auf mi lerer Stufe unterrühren. Den Teig eine Springform (Ø 26 cm, Bode gefettet) füllen, glattstreichen.

6 Für den Belag Cornflakes un Chococrossies mischen, auf Teig streuen. Die Form auf dem R in den Backofen schieben.

Ober-/Unterhitze:
etwa 180 °C (vorgeheizt)
Heißluft: etwa 160 °C
(nicht vorgeheizt)
Gas: Stufe 3–4 (vorgeheizt)
Backzeit: etwa 25 Min.

7 Den Boden aus der Form lös sofort in 12 Tortenstücke schneiden und erkalten lassen.

8 Für die Füllung Sahne mit Sa nesteif und Vanillin-Zucker steif schlagen, Chococrossies unte heben. Gut 2 Eßlöffel von der Sah masse in einen Spritzbeutel mit gl ter Tülle füllen, die restliche Masse auf den Biskuitboden streichen, m den Rührteigbodenstücken belege

9 Die Torte mit der restlichen Sahne verzieren und mit den Chococrossies garnieren.

Gib-mir-die-Kugel-Torte

Zubereitungszeit: 50 Min.,
ohne Kühlzeit
Backzeit: etwa 30 Min.

Insgesamt:
E: 113 g, F: 653 g, Kh: 431 g,
kJ: 34526, kcal: 8280

Für den Rührteig:
- **150 g weiche Butter oder Margarine**
- **150 g Zucker**
- **1 Pck. Vanillin-Zucker**
- **4 Eier**
- **200 g gemahlene Haselnußkerne**
- **1 TL Backpulver**

Für den Belag:
- **32 Schoko-Nuß-Konfekt-kugeln**
- **400–500 ml Schlagsahne**
- **1 Pck. Sahnesteif**

Zum Verzieren:
- **40 g Vollmilchkuvertüre**
- **30 g gehobelte Haselnußkerne**
- **200–250 ml Schlagsahne**
- **1 Pck. Vanillin-Zucker**

1 Für den Rührteig Butter oder Margarine mit Handrührgerät mit Rührbesen auf höchster Stufe geschmeidig rühren. Nach und nach Zucker und Vanillin-Zucker unterrühren, so lange rühren, bis eine gebundene Masse entstanden ist. Eier nach und nach unterrühren (jedes Ei etwa 1/2 Minute).

2 Die Nüsse mit Backpulver mischen und portionsweise auf mittlerer Stufe unterrühren. Den Teig in eine Springform (Ø 26 cm, Boden gefettet, mit Backpapier belegt) füllen und glattstreichen. Die Form auf dem Rost in den Backofen schieben.

Ober-/Unterhitze:
etwa 180 °C (vorgeheizt)
Heißluft: etwa 160 °C
(nicht vorgeheizt)
Gas: Stufe 2–3 (nicht vorgeheizt)
Backzeit: etwa 30 Min.

3 Den Tortenboden aus der Form lösen, auf einen Kuchenrost stürzen und den Boden erkalten lassen.

4 Acht gekühlte Konfektkugeln mit einem scharfen Messer halbieren und zum Garnieren beiseite legen. Die restlichen Kugeln in einer Schüssel zerdrücken.

5 Sahne mit Sahnesteif steif schlagen und in 2 Portionen unter die Krümelmasse heben. Eine Tortenring um den Tortenboden legen und die Masse auf dem Boden verstreichen. Die Torte kühl stellen.

6 Zum Verzieren Kuvertüre grob zerkleinern und in einem kleinen Topf im Wasserbad bei schwacher Hitze zu geschmeidiger Masse verrühren. Die Haselnußblättchen in einer Pfanne ohne Fett rösten. Die Torte aus dem Tortenring lösen und die Haselnußblättchen an den Tortenrand drücken. Die Kuvertüre in einen Gefrierbeutel geben, eine Ecke abschneiden, die Torte mit der Kuvertüre verzieren und kühl stellen.

7 Sahne mit Vanillin-Zucker steif schlagen, in einen Spritzbeutel mit Sterntülle geben. Die Torte mit Sahnetuffs verzieren und mit den halbierten Konfektkugeln garnieren. Torte gut gekühlt servieren.

Schokotüten-Torte

*Zubereitungszeit: 60 Min.,
ohne Kühlzeit*

Backzeit: 22–33 Min.

Insgesamt:
E: 136 g, F: 564 g, Kh: 969 g,
kJ: 40839, kcal: 9762

Für den Biskuitteig:
- ◼ **6 Eier**
- ◼ **2 EL heißes Wasser**
- ◼ **150 g Zucker**
- ◼ **1 Pck. Vanillin-Zucker**
- ◼ **120 g Weizenmehl**
- ◼ **30 g Speisestärke**
- ◼ **1 gestr. TL Backpulver**
- ◼ **125 g aufgelöste, abgekühlte Vollmilchkuvertüre**
- ◼ **30 g zerlassene, abgekühlte Butter**
- ◼ **50 g feingehackte Vollmilchkuvertüre**

Für den Hippenteig:
- ◼ **200 g Weizenmehl**
- ◼ **200 g gesiebter
  Puderzucker**
- ◼ **3 Tropfen Zitronen-Aroma**
- ◼ **200 ml Schlagsahne**

- ◼ **100 g weiße Kuvertüre**

Für Füllung I:
- ◼ **500 ml (¹/₂ l) Schlagsahne**
- ◼ **100 g Vollmilchkuvertüre**
- ◼ **2 Pck. Sahnesteif**

Für Füllung II:
- ◼ **500 ml (¹/₂ l) Schlagsahne**
- ◼ **75 g weiße Kuvertüre**
- ◼ **2 Pck. Sahnesteif**

- ◼ **4 EL Pflaumenmus**
- ◼ **120 g Pflaumenmus**
- ◼ **gesiebter Puderzucker**

1 Für den Biskuitteig Eier und
Wasser mit Handrührgerät mit
Rührbesen auf höchster Stufe in
1 Minute schaumig schlagen. Zucker
mit Vanillin-Zucker mischen, in
1 Minute einstreuen, dann noch etwa
2 Minuten schlagen.

2 Mehl, Speisestärke und Back
pulver mischen, die Hälfte
davon auf die Eiercreme sieben un
kurz auf niedrigster Stufe unterrü
ren. Den Rest des Mehlgemisches
die gleiche Weise unterarbeiten. A
gelöste Kuvertüre und Butter
unterrühren, gehackte Kuvertüre
unterheben.

3 Den Teig in eine Springform
(Ø 28 cm, Boden gefettet, m
Backpapier belegt) füllen. Die For
sofort auf dem Rost in den Backof
schieben.